海外日本美術調査プロジェクト報告 1
Report of Japanese Art Abroad Research Project Vol.1

P9-CDP-947

プーシキン美術館所蔵
日本美術品図録

Catalogue of Japanese Art in
The Pushkin State Museum
of Fine Arts

国際日本文化研究センター 日文研叢書 1
The International Research Center for Japanese Studies
Nichibunken Japanese Studies Series 1

目次　　　　　Contents

出版にあたって

　国際日本文化研究センターでは、株式会社・長谷工コーポレーションの寄附金により、平成三年四月に「海外日本美術情報」という寄附研究部門を設けました。このプロジェクトは海外所在の日本美術に関する文字と画像資料のデータベースを構築しようとするものであります。私達は、その第一回の調査を平成四年の六月から七月にかけ、モスクワのプーシキン国立美術館と、サンクト・ペテルブルグのエルミタージュ国立美術館で行いました。本書はそのうちプーシキン国立美術館所蔵の作品を収録したものであります。

　本報告書の目的は、あくまでも基礎資料の迅速な提供に主眼がおかれております。資料の所在が明らかになれば、各研究者がそれぞれのテーマに応じて個々の追究は出来るものと考えるからであります。「海外日本美術情報」の第一号報告書が、『日文研叢書』の創刊号として出版されることは、関係者としてこの上もない喜びであります。

　本報告書の出版にあたって、私達の調査を快諾して下さいましたアントノヴァ館長と、土曜日も返上して調査の便宜を図って下さいましたキューレイターのヴォロノヴァ氏、並びに調査にご協力下さいました佐藤光信、浅野秀剛の両氏に心から厚くお礼申し上げます。

　また、長谷工コーポレーションからは本寄附研究部門設置のための寄附を、文化財保護振興財団からは今回の調査の旅費の一部に対する援助を賜り、深く感謝申し上げます。

　このような大規模な情報収集は短期間で終了するものではありません。むしろ、その持続と年月に伴う情報の蓄積こそ重要であります。今後とも皆様方のご協力を得て、より充実したデータベースの構築が出来るよう願ってやみません。

国際日本文化研究センター

寄附研究部門

教　授　　別　役　恭　子

Foreword

The International Research Center for Japanese Studies established the Japanese Art Abroad Research Project in April, 1991, with funding from the Haseko Corporation. The aim of the project is to construct a database with textual and pictorial information related to Japanese art abroad. Our first research trip was to the Pushkin State Museum of Fine Arts, Moscow and the State Hermitage Museum, St. Petersburg in June and July, 1992. This volume documents Japanese art in the Pushkin State Museum of Fine Arts.

The main purpose of this kind of reference catalogue is to provide basic information as quickly as possible. As the whereabouts of works become known, individuals can pursue in more detail those areas of interest. We are pleased that the first Japanese Art Abroad Research Project reference catalogue is being published as the initial volume in the newly inaugurated *Nichibunken Japanese Studies Series.*

We are deeply indebted to Dr. Irina Antonova, Director of the Pushkin State Museum of Fine Arts, for allowing us to carry out our research, and to Dr. Beata Voronova, Curator of Japanese Prints, who graciously cooperated in every way, even working with us at the Museum on Saturdays. We would also like to express our gratitude to Mr. Mitsunobu Satō and Mr. Shūgō Asano, who collaborated in this research project.

We are especially grateful to the Haseko Corporation for their contribution to launch the project, and to the Foundation for the Promotion and Preservation of Cultural Properties for providing a portion of the 1992 research trip travel expenses.

The gathering of information in this kind of large-scale endeavor cannot be completed in a short space of time. An important feature of our project is its ongoing nature and the accumulation of information over time. With everyone's cooperation, it is our hope that in the future we will be able to create a more complete database.

Yasuko Betchaku
Director,
Research Project, Japanese Art Abroad
International Research Center for Japanese Studies

プーシキン国立美術館の日本美術

ベアタ ヴォロノヴァ

　モスクワのプーシキン国立美術館は、ロシアの中でも最も大きい日本美術コレクションを所有する美術館の一つで、しかも、そのコレクションは最も早く蒐集されたものの一つである。それは、約300点の江戸後期から明治初期の絵画、500点を越える版本と画帖、それに喜多川歌麿、葛飾北斎、歌川広重、歌川国貞、歌川国芳、月岡芳年や他の浮世絵師達の作品数千点から成り立っている。

　当館の日本美術コレクションの大半は、嘗て、リャザン地方出身のロシア海軍士官セルゲイ・ニコラーエヴィッチ・キターエフ（1864年―没年不明）が所蔵したものであった。[①]キターエフは1878年サンクト・ペテルブルグの海軍学校へ入学し、1881年卒業と同時に軍役に就いた。1885年艦隊勤務の任命を受け、10年以上にわたって日本近海を航行した快速帆船ヴェストニク、フリゲート艦ウラジミール・モノマフや、巡洋艦アドミラル・コルニロフに搭乗して航海した。1909年立派な業績が認められて、海軍大佐に昇進し、軍人最高の栄誉を授けられた。サンクト・ペテルブルグへ戻った後も、1912年に病気退職するまで海軍に所属していた。

　キターエフの美術蒐集家としての詳しい情報は、友人の画家で、一緒に海軍で従軍したP.パヴリノフ（1881―1966）との文通に記されている。[②]パヴリノフは、キターエフの思い出にふけりながら後日次のように書いている。

　　…セルゲイ・ニコラーエヴィッチは広い教養を身につけた人で、お金持ちで、青年時代から美術に興味を持っており、自ら水彩画や素描を描いた。日本へ行った折、日本美術に親しみ、旅の合間に蒐集し始めた。彼が手に入れた作品は、状態が悪い事が多かったので、日本で修復するようにした。船内では湿気から守るために、密閉した円筒形の金属箱に保管した。ロシアへ帰還してからも、キターエフは画家達と会ったりして、美術に対する興味を維持すると同時に、常に自分のコレクションの将来に就いて考えていた。

　キターエフが金儲けや投資の為ではなく、ロシア人達に日本美術を紹介するという崇高な目的の為に蒐集した事は、興味深いことである。パヴリノフへの書簡に次のように書いている。

　　私は自分でそれ［コレクション］に惚れ込んでおり、早く売り捌く事に興味はない。ただそれが美術に興味を持っている人々に、喜びをもたらす事が出来るような公共資産でないのが残念である…[③]

　コレクションの将来に関する同様な懸念は、キターエフがプーシキン国立美術館の創立者I.ツヴェターエフ（1847―1913）へ宛てた書簡中にも見ら

れる。キターエフは、以下のように述べている。

> 日本コレクションの事を忘れないで頂きたい。それは、美術館にとって適切なものではないだろうか？ご存知のように、日本美術は現在欧州美術に非常な影響を及ぼしており、欧州の主要都市では実物を手に入れている。私のコレクションは、未だにモスクワの金属箱の中である。それを外国へ移したくはないし、ロシアの為に懸命に保管しているのだが、残念ながら無料で寄贈する可能性はない。思い出されるかもしれないが、それは、15,000ルーブルもの価値があるからである。[④]

　美術館は、その時コレクションを購入しなかったし、その後、1916年にキターエフが、増額した150,000ルーブルで政府が買い上げるよう提案した時も応じなかった。パヴリノフによると「戦争中でも有り、その様なまとまったお金は入手出来なかった。」
　1916年に病気引退した時、キターエフは治療の為、外国へ行く決心をした。当時彼はコレクションをモスクワのルミヤンツエフ美術館で保管して貰うよう決めた、そしてそれは、1924年にプーシキン国立美術館へ移された。その頃には、日本美術は既に欧州や米国の美術館で蒐集されていた。最初の浮世絵版画が欧州へ到達したのは、1812年、長崎出島のオランダ通商館長だったアイザック・テイツインの死後だといわれている。しかし、19世紀半ばまで西洋に於ける日本美術熱は起こらなかった。当時日本は明治維新後、近代化を推進していた時で、西側との接触も増え、多くの外国人達が日本文化に紹介された。
　日本美術に関する初期の出版物は、英国と露国で同時に出されたが、[⑤]後者は1862年サンクト・ペテルブルグで出版されたA.ヴィシェスラヴツエフの『筆による世界旅行の随筆』であった。1857年から1859年まで世界を巡った客船の医師であったヴィシェスラヴツエフは、日本絵画や素描の画帖をロシアへ持ち帰った。それ等は総てサンクト・ペテルブルグの美術奨励会へ移された。日本美術に対する関心はロンドン（1863年）とパリ（1867年）の万国博覧会後、強くなった。それに従って、船員や旅行者達によって時折求められていた日本美術は、日本の事について知識のある学者や外交官達によって本気で蒐集され、学ばれるようになった。この事に関してキターエフは、次のように述べている。

> ...封建制度の廃止により、博学な武士階級は粉砕されてしまった...何世代もの間集められてきた貴重な美術品は、ある物は任意に、ある物は否応なしに市場に出された。裕福な欧州人達、特に教養があり、日本政府の招待で様々な科学分野や西洋美術の進展の為に訪れた人達は、1860年から多数の素晴らしい日本美術品を蒐集出来た。そして、彼らが欧州や米国へ帰国した後、それぞれの国民へ日本美術を紹介し始めた...しかしロシアの外交官達は...美術に興味が無かった。[⑥]

　以上に述べられたロシアの外交官達に比べると、キターエフは日本美術に心を奪われて、その当時かなりの数に上る美術品を集めていた。彼は、作品は「東京、京都、横浜、神戸やその他の町や村で購入された。そして数年の間に、私の代理人等は日本中を見て廻ったようだ。...」と書いた。キター

エフは、尾形月耕やその他の画家、又その家族達を訪れた。特に興味深いのは、岸駒の子孫との関わりである。キターエフは記している。

　　　　私は、彼［岸駒］の巨大な虎や．．．彼自身や弟子達が描いたその他の作品を、大津近郊に住んでいる子孫達から購入した。私の代理人の一人からその絵の事について聞いていたので、特に［大津］へ行った．．．日本には、現在法律がある．．．それは、ある画家達の作品は国外へ持ち出せない事だが、私の光琳、円山応挙、浅井星洲、英一蝶、山本梅逸、蘆雪、菊池容齋、祖仙、岸駒はこの法律以前に抜け出した．．．

自分のコレクションの価値を他の欧州のコレクションと比較して、キターエフは次のように述べている。

　　　　私は、スペイン、ポルトガル、バルカン半島以外、総ての欧州諸国を訪問し、美術館や個人コレクションを調べた。1910年にロンドンでは、英日展覧会へ帝の特命で出された（日本史上ただ一度の）日本古美術の宝物類を見た。それは国王や、最高位の人々や英日［協会］会員、パリから招待された仏日協会会員のためで、一般市民には公開されなかった。．．．既に述べたように、私のコレクションは質量共に欧州中で二番を占めると確信している。一番は常に、遺言によってジェノヴァに寄贈された、凹版技術家キヨソーネのコレクションが占めるであろう。

現代の研究では、キターエフが自分のコレクションに対して下した評価は支持されないかもしれないが、米国の浮世絵専門家ロジャー・キーズ氏は、質に関しては今一つだが、欧州で最も大きなコレクションの一つだと認めている。質に開きがあるのは、この殆ど未知の分野をロシアの人々に紹介する為、異なった派の画家による作品を広く買い求めたからであった。最も明かなキターエフコレクションの欠点は、版本、画帖の多くが、原形のままではない事である。つまり、購入した（版画や素描の中から）或物を切りとって、日本で画帖に仕立てさせたのであった。その上、コレクションの或部分は、紛失したり破壊されたりしたようだ。キターエフは記している。

　　　　．．．新郎だったので、後程コレクションを見る新妻[7]の感情を損なわないように、大量のエロチックな版画（春画）は、当時船内にいた人物にそっとくれてやった。私の記憶が正しければ、それは、津島で戦死したかもしれないＳ．フメリョフ大尉だった。

にもかかわらず、キターエフのコレクションには多くの長所がある。その一つは、西洋人が日本で集めた最も早いコレクションの一つで、しばしば日本の画家達から直接購入された事である。キターエフは、「自分の好みと素人画家としての眼」からだけではなく、日本美術の蒐集家や鑑識者達の助言に従った。日本美術の鑑識者との接触について述べている。

　　　　．．．三人の友人以外に、私の美術品を鑑賞する為、専門家達の訪問を受けた。［その中には］（様々な絵師が版画に描いた）有名な役者、市

川団十郎がいた。彼はお金持ちで、素晴らしい美術コレクションの持主だった。しかし、私にとって最も意義深かったのは、東京美術学校の学長...兼東洋美術史の教授で、東洋美術の講義を行っていた岡倉氏の訪問であった。氏は前の天皇からこの地位に任命されていた。氏［岡倉］は、講義の準備のために日本のコレクションを訪ね、（日本美術の源泉だった）中国をも旅して廻った。私達は長時間［私のコレクションの中から］作品をみて、私は、彼の意見に耳を傾けた。氏はその中の多くを支持し、賞賛した、そしてお別れに美術学校を訪れるよう招待してくれた。

　キターエフのコレクションで主要なのは、18、19世紀の有名な絵師による浮世絵版画、版本と画帖である。その中には未出版の浮世絵版画や、英一蝶、窪俊満、鳥居清長の珍しい摺物や、菊川英山、歌川国芳やその他の絵師の三枚続きがある。キターエフは特に北齋が好きで、パヴリノフへ下記の如く書いている。

　　...初めて日本美術を知ったとき、私は誰よりも彼が大好きになった。余りにも想いが強かったので、彼のお墓参りに出かけた...写真と彼が葬られているお墓の水彩画をお目にかけよう。彼の親戚は、生きていなかった...その後、力強い絵師達を見つけたので、今は沢山好きなのがいるが、彼［北齋］の芸術は全てを包含している。北齋は本当に素晴らしい...私にとって、この「日本のドーレ」*の素描や画帖を受け取ったり、版本をみつける事は、この上もない楽しみだった。長崎にいる友人の荒木さんが、それらを丁寧に切りとって張り付けさせた。彼［北齋］と同時代の人達は（世話になっている職人達は云うまでもなく）とりわけ彼を認めようともしなかったし、彼の西洋化した手法を受け入れるのは難しかった。彼はオランダの銅版画を手に入れていたし、人体構造を実物から学んだ最初の日本人画家の一人だった...さらに、彼は大酒飲みだった...その様な訳で乞食のような生活をしていた、しかし、今彼の作品は...多額を呼ぶ。

　プーシキン美術館には、北齋の「桜下の馬」など5枚の短冊画や初期の東海道シリーズから数点と青で摺られた（藍摺り）風景画を含め、珍しい版画や版本がある。1800年頃の初期の摺物や、「元禄歌仙貝合わせ」など成熟期の摺物も興味深いものである。マアテイ・フォラー氏とロジャー・キーズ氏によると、プーシキン美術館にある「元禄歌仙貝合わせ」の中の「こがい」は、日本の最も有名な美術館でも欠けているそうである。[8]
　キターエフコレクションの最初の展覧会は、1896年サンクト・ペテルブルグで開かれた。そこの美術学校で展示された後、展覧会は1897年モスクワの歴史博物館で開かれ、キターエフは日本美術について、数回講演を行った。1905年から1906年にかけての冬、ポーツマス条約の調印後、第三回の展覧会がサンクト・ペテルブルグのリョーリッヒ協会で開催された。コレクションを記録した最初のカタログは、1896年出版され、1905年に再版された。
　キターエフによって始められたコレクションの研究と普及活動は、今日も続けられている。カタログを伴う版画の展覧会は、プーシキン国立美術館で1956年、1972年と1989年に開かれた。そして一部は国内各地を廻る巡回展にも含まれている。それに加えて、展示された作品に関する本や記事も出版さ

れており、2,000点を含む総合的、学術的カタログも準備されている。キターエフはこのコレクションを国の為に集め、「．．．公共資産となること」を夢見ていたのであるから、ある意味で、その望みは叶えられたと言える。彼のコレクションは、現在では、国家の財産であり、誇りでもある。日本美術をロシアに紹介して、我国の文化を豊かにしたと言う点で、キターエフはモスクワのトレテヤコーフ・ギャラリーの創立者Ｐ.トレテヤコーフや、プーシキン国立美術館へ西洋美術を提供した、Ｓ.シチューキンやＭ.モロゾフと比較する事が出来る。

註
① この論文中キターエフの生涯に関する資料は、国立海軍文書局のファイル1777番に依るものである。
② パヴリノフは、キターエフから受け取った数通の手紙を1959年4月17日プーシキン国立美術館へ寄贈した。
③ 1916年7月7日キターエフが、ルミャンツエフ美術館職員で後のプーシキン国立美術館職員、Ｖ.ゴリィシャノフへ宛てた手紙による。
④ 1898年3月15日付けのキターエフからＩ.ツヴェターエフへの手紙。プーシキン国立美術館文書保管部、ファイル1475。
⑤ Ｋ.コーンウオリス、ロンドン、1856年及び、Ｓ.オズボーン、ロンドン、1861年。
⑥ この段落の引用は、キターエフがパヴリノフへ宛てた1916年8月15日と16日付けの手紙と、Ｖ.ゴリシャノフへ宛てた1916年12月7日付けの手紙からである。
⑦ キターエフは、ギルド商人の娘アンナ・ザミャテイナと結婚して、息子インノケンテイーがいた。
⑧ M. Forrer and R. Keyes, "Very Like a Whale?," A Sheaf of Japanese Papers in Tribute to Heinz Kaempfer on His 75th Birthday (The Hague: Society for Japanese Arts and Crafts, 1979).
＊ グスタフ・ドーレ（1832—1883）はファンタジーに富んだフランスの画家、版画家兼イラストレーターで、多くの作品を残している。

Japanese Art in the Pushkin State Museum of Fine Arts

Beata Voronova

The Pushkin State Museum of Fine Arts in Moscow has one of the largest collections of Japanese art in Russia, as well as one of the earliest to be assembled in that country. It consists of approximately 300 late Edo and early Meiji-period paintings, more than 500 illustrated books and albums, and several thousand woodblock prints, including works by the ukiyo-e masters Kitagawa Utamaro, Katsushika Hokusai, Utagawa Hiroshige, Utagawa Kunisada, Utagawa Kuniyoshi, Tsukioka Yoshitoshi, and others.

The bulk of the Museum's Japanese collection once belonged to the Russian naval officer Sergei Nicholaevich Kitaev (b. 1864), a native of the Ryazan region.[1] Kitaev entered the Naval College in St. Petersburg in 1878 and went into active duty upon graduating in 1881. He was nominated for navigation abroad in 1885, and for more than ten years served on ships that sailed near Japanese shores, including the clipper Vestnik, the frigate Vladimir Monomach, and the cruiser Admiral Kornilov. Kitaev was promoted to the rank of colonel in 1909 for his brilliant service and was granted the highest military honors. He remained affiliated with the navy after returning to St. Petersburg until his resignation around 1912 due to failing health.

The most detailed information concerning Kitaev's activities as an art collector comes from correspondence with his friend, the painter P. Pavlinov (1881–1966), who had served together with Kitaev in the navy.[2] Reminiscing about Kitaev, Pavlinov later wrote:

> . . . Sergei Nicholaevich was a widely educated person who disposed of large sums of money and who was interested in the fine arts from his youth; he himself painted with watercolors and made drawings. When he went to Japan he became acquainted with Japanese art, and during his journeys began to collect. The works he bought were often in poor condition so he arranged to have them restored in Japan. While on his ship he kept the works in hermetically sealed metal cylinder boxes to protect them from the dampness. Upon returning to Russia, Kitaev continued to pursue his interest in art by meeting with painters and constantly thought about his collection's future.

It is interesting to note that Kitaev collected not for commercial or investment reasons but for the noble purpose of introducing Russians to Japanese art. In a letter to Pavlinov he wrote:

> Personally I am in love with it [the collection] and I am not interested in selling it quickly; I only regret that it is not public

property which would enable it to bring pleasure to people interested in art . . .[3]

Similar concerns about the future of the collection appear in Kitaev's letter to I. Tsvetaev (1847 - 1913), the founder of the Pushkin State Museum of Fine Arts. Kitaev wrote:

> I would like to remind you about the Japanese collection. Would it not be suitable for the museum? As you know, Japanese art is presently very influential on European art, and the major cities there have taken care to secure examples. My collection is still in Moscow in metal boxes. I do not want it to be transferred abroad and am jealously keeping it for Russia, but regretfully there is no possibility to donate it free of charge. As you may recall, its cost is 15,000 rubles.[4]

The museum did not purchase the collection then, nor later in 1916, when Kitaev proposed that the government buy it at the increased price of 150,000 rubles. According to Pavlinov, "The war was going on and there were no such sums of money available."

Upon retiring from the navy because of illness in 1916, Kitaev decided to go abroad for treatment. At that time he arranged to store his collection at the Rumyantsev Museum in Moscow, and from there it was transferred to the Pushkin State Museum of Fine Arts in 1924. By this time Japanese art was already being collected by European and American museums. It is known that the first Japanese prints reached Europe after the death in 1812 of Isaak Titsing, who had been chief of the Dutch trading station on Dejima Island in Nagasaki. But it was not until the middle of the 19th century that the passion for Japanese art in the West began. At that time Japan was in the active process of modernization following the Meiji Restoration, and through its growing contacts with the West many foreigners were introduced to Japanese culture.

Early publications about Japanese art appeared simultaneously in England[5] and in Russia, the latter represented by A. Visheslavtsev's *Essays by Pen and Pencil from the World Tour* (St. Petersburg, 1862). Serving as a physician on a ship that toured the world from 1857 to 1859, Visheslavtsev brought back to Russia Japanese paintings and albums of sketches. All of these works were transferred to the Society for Encouraging Arts in St. Petersburg.

Interest in Japanese art increased after the world expositions in London (1863) and in Paris (1867). Accordingly, the occasional purchases by sailors and travelers were supplanted by the serious collecting and study of Japanese art by scholars and diplomats knowledgeable about the country. In this connection, Kitaev wrote:

> . . . Following the abolishment of the feudal system the learned samurai class was shattered . . . art treasures that had been collected by many generations came on the market, in part voluntarily and in part not. Resourceful Europeans, especially the educated ones invited by the Japanese government to develop the various sciences and Western-style art, managed from 1860 to collect many wonderful

examples of Japanese art. Moreover, after returning to Europe and America they began to introduce these arts to their fellow countrymen . . . But Russian diplomats . . . were not interested in art . . .

In contrast to the above-mentioned Russian diplomats, Kitaev was captivated by Japanese art and at that time collected a considerable number of artworks. He wrote that the works were bought " . . . in Tokyo, Kyoto, Osaka, Yokohama, Kobe and many other cities and villages; in the space of several years my agents probably traveled all over Japan . . . " Kitaev also visited some Japanese artists and their families, such as Ogata Gekkō. Particularly interesting are his contacts with the descendants of Kishi Ganku. Kitaev wrote:

> His [Ganku's] huge tiger . . . as well as other works done by him and his pupils were bought by me from his descendants living near Ōtsu. I went [to Ōtsu] especially for these works, having heard about them from one of my agents . . . There is a law in Japan now . . . that original works by some artists cannot be exported, but my Kōrin, Ōkyo, Seishū, Hanabusa Itchō, Yamamoto Baiitsu, Rosetsu, Kikuchi Yōsai, Sosen, and Ganku slipped through before this law . . .

Concerning the merit of his collection in comparison with others in the West, Kitaev wrote:

> I visited all of the European countries except Spain, Portugal, and the Balkan peninsula, examining museum and private collections. In London in 1910 I saw a treasure trove of ancient Japanese art that was exported according to a special decree of the Mikado on the occasion of the Japan-British Exhibition (the only time during Japanese history), to show the King, the highest dignitaries, and members of the British-Japanese [Society] and the French-Japanese Society, the latter of which was invited from Paris. It was not open to the general public . . . From what I have noted above, I am certain that my collection occupies the second place in Europe in terms of quality and quantity. The first place will always be held by the engraver Chiossone's collection, which according to his will was given to Genoa.

Although modern research may not support Kitaev's assessment of his collection, American ukiyo-e specialist Roger Keyes confirmed that it is one of the largest in Europe though yielding to some in quality. The range in quality resulted from the fact that Kitaev bought widely, gathering together works of art by artists of different schools in order to acquaint Russians with this little-known field. The most obvious shortcoming of his collection is the fact that many of the illustrated books and albums are not in their original format, i.e. Kitaev had some of his purchases (prints as well as drawings) trimmed and pasted into albums in Japan. Moreover, some parts of the collection were probably lost or destroyed. Kitaev wrote:

> . . . being a bridegroom and wanting to spare the feelings of my bride,[7] who would later see the collection, I discreetly gave away a large group of erotic pictures (*shunga*) to the person who was with me on the cruise. If I remember correctly it was Lieutenant

S. Hmeleff, who may have died in the battle at Tsushima.

Nevertheless, Kitaev's collection has many merits, one of which is the fact that it is one of the earliest collections assembled by a Westerner within Japan itself, often purchased directly from Japanese painters. Kitaev was led not only "by his taste and the eye of an amateur painter," but he also received advice from collectors and connoisseurs of Japanese art. Concerning his contacts with Japanese art connoisseurs Kitaev wrote:

> . . . In addition to my three friends, some Japanese specialists visited me in order to admire the artworks. [Among them was] the famous actor Ichikawa Danjūrō (portrayed in many prints by different artists), who was wealthy and the owner of a beautiful art collection. But the most meaningful for me was the visit of Mr. Okakura, Director of the Tokyo Academy of Art . . . and Professor of the History of Eastern Art, who lectured on this subject at the Academy. He was appointed to this post by the late Mikado himself. In preparation for his lectures, he [Okakura] visited Japanese collections and also traveled around China (which was the fountainhead of Japanese art). We looked for a long time at examples [from my collection] and I listened to his opinions. He approved and praised many of them and, as a farewell, invited me to visit the Academy.

Foremost in Kitaev's collection are the ukiyo-e prints and illustrated books and albums by famous artists of the 18th and 19th centuries. Among them are some unpublished prints and rare *surimono* by Hanabusa Itchō, Kubo Shunman, Torii Kiyonaga, as well as triptychs by Kikukawa Eizan, Utagawa Kuniyoshi, and others. Kitaev was especially fond of Hokusai and wrote to Pavlinov:

> . . . I was in love with him more than the others during my first acquaintance with Japanese art, so much that I made a pilgrimage to his grave . . . I'll show you the pictures and the watercolor I made of his monument and the cemetary where he is buried. His relatives were not alive . . . Later on I found more powerful painters so now I have many favorites, but his [Hokusai's] art is all-encompassing. Hokusai is truly remarkable . . . There was no better treat for me than to receive an album of sketches or drawings or to find an illustrated book of this "Japanese Doré." My friend Araki-san in Nagasaki had them carefully trimmed and pasted. His [Hokusai's] contemporaries (not to mention the craftsmen to whom he was indebted) did not especially approve of him and found it difficult to accept his touches of Westernization. He had at his disposal Dutch engravings, and he was one of the first Japanese painters to study anatomy from life . . . Moreover, he was a drunkard . . . As a result of all of these things he lived as a pauper, but now his works of art . . . amass millions.

There are some rare books and prints by Hokusai in the Pushkin State Museum of Fine Arts, including five *tanzaku* prints such as *Horses under a Blossoming Cherry Tree*, some prints from an early Tōkaidō series; and a landscape printed in blue (*aizuri*). Also interesting are an early *surimono* from around 1800 as well as examples representing his mature period from the *Genroku kasen kai awase* series. According to Matthi Forrer and Roger Keyes, *Kogai* from Hokusai's *Genroku kasen kai awase surimono* series in the Pushkin Museum is lacking in the most famous Japanese collections.[8]

The first exhibition of Kitaev's collection opened in St. Petersburg in 1896. After being displayed there in the Academy of Art, the exhibition was shown in Moscow in 1897 at the Historical Museum, where Kitaev delivered several lectures on Japanese art. In the winter of 1905 – 1906, after the Portsmouth Peace Treaty was signed, a third exhibition was held at the Rerich's Society in St. Petersburg. The first catalogue listing of the collection was published in 1896, and reissued in 1905.

The study and popularization of the collection initiated by Kitaev continues today. Exhibitions of prints, accompanied by catalogues, were held at the Pushkin Museum in 1956, 1972, and 1989, and some works have been included in traveling exhibitions to other parts of the country. In addition, books and articles based on the exhibited works have been published, and a comprehensive scholarly catalogue of 2000 works has been prepared. Thus, in a way, Kitaev's dream has been realized, for he assembled this collection for his nation and dreamed about its " . . . becoming public property." His collection is now the property and the pride of our country. Since he introduced Japanese art to Russia and therefore enriched our country's culture, it is possible to compare Kitaev with such famous Russian collectors as P. Tretyakov, the founder of the Tretyakov Gallery in Moscow, or S. Schukin and M. Morosov, whose collections of Western European art are now in the Pushkin Museum.

Notes

① Much of the information concerning Kitaev's life in this essay came from the State Naval Military Archives of the USSR, Dossier No. 1777.

② Pavlinov gave several letters he had received from Kitaev to the Pushkin State Museum of Fine Arts on 17 April, 1959.

③ From letter dated 7 July, 1916 from Kitaev to V. Gorshanov, staff member at the Rumyantsev Museum and later the Pushkin State Museum of Fine Arts.

④ Letter dated 15 March, 1898 from Kitaev to I. Tsvetaev. Archive of Pushkin State Museum of Fine Arts, Dossier 1475.

⑤ K. Corwollis, London, 1856 and S. Osborn, London, 1861.

⑥ The quotations in this paragraph were excerpted from Kitaev's letters to Pavlinov dated 15 and 20 of August, 1916, and from a letter to V. Gorshanov dated 7 December, 1916.

⑦ Kitaev married Anna Zamyatina, the daughter of a guild merchant, and had a son Innokentii.

⑧ M. Forrer and R. Keyes, "Very Like a Whale?," *A Sheaf of Japanese Papers in Tribute to Heinz Kaempfer on His 75th Birthday* (The Hague: Society for Japanese Arts and Crafts, 1979).

∗ Gustave Dore (1832 – 1883) was a French artist known for his fantasylike paintings and woodcuts, many of which are extant.

凡　　例

1．本図録は国際日本文化研究センターの寄付研究部門が株式会社・長谷工コーポレーションより助成金を得て1991年度から実施している「海外日本美術情報」プロジェクト（代表　別役恭子）の報告書の一冊である。

2．本巻は1992年度に実施したロシアのプーシキン国立美術館所蔵の日本美術品調査の図録である。

3．本巻は版画と絵画の二部からなる。

　1)版画は横長、縦長など形状別に分類し、各分類ごとに、作者の五十音順に従って配列した。但し、落款または印章がありながら作者を確定できなかった作品については「不詳」、落款も印章もない作品については「無款」として、各分類の最後に配した。

　2)絵画も版画と同様に配列した。

4．作品には、一図ごとに本書編纂のための作品番号を付けた。

　1)一枚づつ分離して保存されている版画でも、明らかに続物と思われる作品は一図として掲載した。

　2)版画の組物、絵画の双幅なども、各図ごとに作品番号を付けた。

5．データの記述は日・英両語を用いた。

　1)版画のデータの配列は、作品番号・作者・シリーズ名・画題・年代・技法・寸法・分類・所蔵館蔵品番号の順とした。但し、寸法については日本語データの欄のみに、所蔵館蔵品番号については英語データ欄のみに記した。

　2)版画のデータの内、作者が推定の場合、シリーズ名・画題が仮名の場合は、それぞれを括弧に入れて記した。

　3)版画のデータの内、年代について不詳の場合は省略し、技法・分類については特殊なものについてのみ記した。

　4)絵画のデータの配列は、作品番号・作者・画題・形態・材質・年代・寸法・所蔵館蔵品番号の順とした。但し、寸法については日本語データ欄のみに、所蔵館蔵品番号については英語データ欄のみに記した。また、年代について不詳の場合は省略した。

　5)寸法の表記は、版画の場合は原則として用紙の縦×横を、絵画の場合は本紙の縦×横をセンチメートルで示した。但し、版画の続物において、すでに各図が貼り付けられて保存されているような場合は、一図として採寸した。

6．データは原則として本調査班の作品調書を基にしたが、作者について検討の余地のあるものについては、その後ろに ＊ 印を付しておいた。

7．巻末に日本語並びに英語の作家別索引を付した。

　1)作者別索引は、日本語の場合は五十音順、英語の場合はアルファベット順とし、生歿年または活躍期の分かる者については、それぞれ和暦、西暦で記しておいた。

　2)落款または印章によってのみ得られた詳細の不明な作者名については、後ろに ＊ 印を付した。

　3)各作者の作品は本図録の作品番号で示した。

8．全掲載写真は当調査班が撮影したものであるが、複写転載に際しては、総てプーシキン国立美術館の許可を必要とする。

9．日本語と中国語のローマ字綴は、研究社の新和英辞典とウェイド・ジャイルスシステムにそれぞれ従った。

　（泉　守一の作品、264番は11番に、又1171番は1040番に入れるべきところ、順序に錯誤を生じたので御了承願いたい。また紙面の都合上、データが入りきらない場合は文字フォントを小さくした箇所がある。見苦しい点は御諒恕願いたい。）

Explanatory Notes

1. This reference catalogue is the first volume generated by the Japan Art Abroad Research Project (Director, Yasuko Betchaku), established by the International Research Center for Japanese Studies in 1991 with funding from the Hasekō Corporation.

2. This volume documents Japanese art in the Pushkin State Museum of Fine Arts in Moscow, which the project team visited in 1992.

3. The catalogue is divided into two sections: prints and paintings.
   1) The prints have been classified according to format and dimensions, with the artists arranged following the Japanese phonetic system. Placed at the end are works with signatures or artists' seals that have not been clearly identified, recorded as "Unidentified," and works without signatures or seals designated as "Anonymous."
   2) Paintings are arranged in the same manner.

4. Each work has been assigned a number in the reference catalogue.
   1) In the case of prints that could be clearly identified as forming a diptych, triptych, etc., one number was assigned.
   2) Prints that belong to a series, as well as pairs of paintings, were given separate numbers.

5. The data has been recorded in both Japanese and English.
   1) The print data has been organized in the following manner: reference catalogue number, artist, series name, title, date, technique, dimensions, category, museum accession number. The dimensions only appear in the Japanese data, and the museum accession numbers only in the English data.
   2) In the print section, brackets were used in cases where we were uncertain of the artist, and in cases where the series name or title did not actually appear on the print.
   3) In the print section, dates were omitted when unknown, and technique and category were designated only in special cases.
   4) The data on paintings was arranged in the following order: reference number, artist, title, format, media, date, dimensions, museum accession number. The dimensions only appear in the Japanese data and the museum accession numbers only in the English data.
   5) Dimensions are given in centimeters, with height preceding width. Painting dimensions exclude mountings. As a general rule, dimensions are given for each individual print, but in the case of prints forming a set that were mounted together, the dimensions of the entire grouping are given.

6. The data in this volume is based on the initial research carried out by the Japanese Art Abroad Research Project team. An asterisk was added to designate those works whose authorship requires further research.

7. Indexes of artists, in both Japanese and English, appear at the end of the volume.
   1) The artists' names have been arranged according to the Japanese phonetic system in the Japanese index, and alphabetically in the English index.
   2) Artists about whom detailed information could not be found are designated with an asterisk.
   3) Works are indicated by the reference catalogue numbers.

8. All of the photographs were taken by the team on site at the Museum. All rights reserved. Permission to reproduce any works in this catalogue must be obtained in writing from the Pushkin State Museum of Fine Arts.

9. For the romanization of Japanese words, we have followed the system employed by Kenkyūsha's *New Japanese-English Dictionary;* for Chinese words, the Wade-Giles system.

   (Cat. Nos. 264 and 1171 by Izumi Morikazu should have been Nos. 11 and 1040, respectively. Because of limited page space, it was necessary to use smaller typefaces at times in order to include all of the data. We apologize for the irregularities.)

版 画
Prints

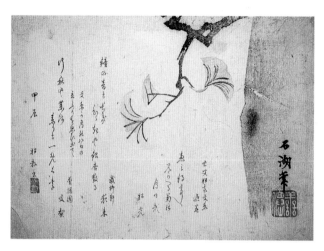

1 　相沢石湖　　　　**Aizawa Sekko**
　（富士絵入本）　　［Illustrated Book
　12.4×13.3　　　　　with Mt. Fuji］
　摺物　　　　　　　Surimono

A27228

2 　相沢石湖　　　　**Aizawa Sekko**
　（銀杏）　　　　　［Gingko Tree］
　19.5×27.2　　　　Surimono
　摺物

A27778

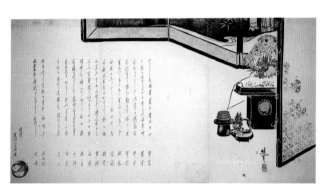

3 　綾岡　　　　　　**Ayaoka**
　（正月飾）　　　　［New Year's Decorations］
　21.8×40.7　　　　Surimono
　摺物

A30360

4 　綾岡　　　　　　**Ayaoka**
　（梅花）　　　　　［Plum Blossoms］
　14.5×27.9　　　　Surimono
　摺物

A27771

5 　一椿斎　　　　　**Itchinsai**
　（生け花）　　　　［Ikebana］
　18.3×28.0　　　　Surimono
　摺物

A27519

6 　飯島光峨　　　　**Iijima Kōga**
　（小犬）　　　　　［Puppies］
　23.3×24.4　　　　Surimono
　摺物

A31830

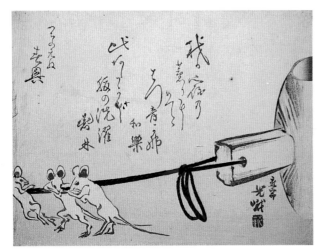

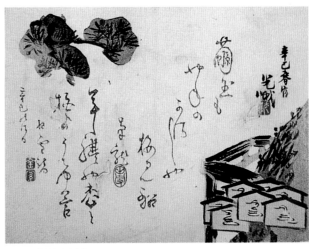

7　飯島光峨　　　**Iijima Kōga**
（小槌を曳く鼠）　　[Mice Dragging a Mallet]
16.6×22.0　　　Surimono
摺物

A27749

8　飯島光峨　　　**Iijima Kōga**
（絵馬）　　　　[Votive Placques]
明治14年　　　1881
14.0×18.8　　　Surimono
摺物

A27747

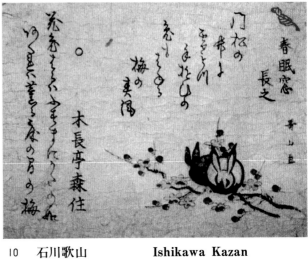

9　飯島光峨　　　**Iijima Kōga**
（祝袋）　　　　[Gift Pouch]
14.4×25.2　　　Surimono
摺物

A28737

10　石川歌山　　　**Ishikawa Kazan**
（兎に梅花）　　[Rabbits and
10.4×13.9　　　　Plum Blossoms]
摺物　　　　　Surimono

A30290

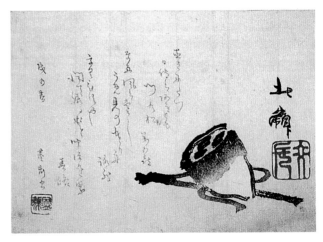

11　磯田湖龍斎　　**Isoda Koryūsai**
（子供四季之遊）　[Kodomo shiki no asobi]
秋　　　　　　Autumn
13.3×14.7

A33715

12　入江北嶺　　　**Irie Hokurei**
（蓮の実）　　　[Lotus Pod]
13.0×18.5　　　Surimono
摺物

A27740

13　歌川清春　**Utagawa Kiyoharu**
差し尽し
16.1×25.0　Various Kinds of Piercing

A27579

14　歌川国明　初代　**Utagawa Kuniaki I**
仮名手本忠臣蔵　Kanadehon Chūshingura
八段目　Act Eight
安政五年　1858/4
22.9×35.1

A34267

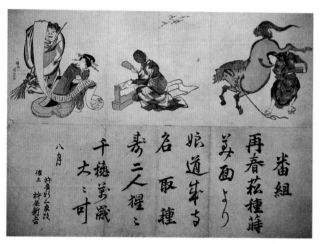

15　歌川国景　**Utagawa Kunikage**
（近江のお兼　砧打　[Mitate of Kanzan and
見立寒山拾得）　Jittoku/Ōmi no Okane/
37.6×51.6　Woman Fulling Cloth]
摺物　Surimono

A6534

16　歌川国貞　初代　**Utagawa Kunisada I**
石川五右衛門市川海老蔵　Ichikawa Ebizō in the Role of
大りやう久吉尾上菊五郎　Ishikawa Goemon/Onoe Kikugorō
各35.3×各23.8　in the Role of Dairyō Hisakichi
縦二枚続　Diptych

A33536・7

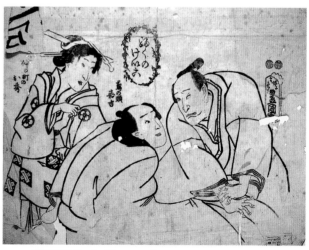

17　歌川国貞　初代　**Utagawa Kunisada I**
井筒屋伝兵衛　猿廻し与次郎　Izutsuya Denbei,
藝子おしゅん　Sarumawashi Yojirō,
22.2×32.5　and Geiko Oshun

A27687

18　歌川国貞　初代　**Utagawa Kunisada I**
ふくのけいこ　Rehearsing
墨摺　Sumizuri (proof)
25.5×30.2

A34270

| 19 | 歌川国貞 初代 | **Utagawa Kunisada I** | 20 | 歌川国貞 初代 | **Utagawa Kunisada I** |

19　歌川国貞 初代　　**Utagawa Kunisada I**
（伽羅先代萩 床下の場）　　[Meiboku sendai hagi:
（荒獅子男之助と仁木弾正）　　　 yukashita no ba]
天保年間　　[Arajishi Otokonosuke
20.5×27.7　　　 and Niki Danjō]　　A29038

20　歌川国貞 初代　　**Utagawa Kunisada I**
おまつり佐七 尾上菊五郎、　　Onoe Kikugorō in the Role of
芸者小糸 尾上栄三郎　　　 Omatsuri Sashichi/Onoe Eizaburō
各35.4×各23.6　　　 in the Role of Geisha Koito
二枚続　　Diptych　　A33585・6

21　歌川国貞 初代　　**Utagawa Kunisada I**
下部磯平 かんねん坊　　Shimobe Isohei/Kannenbō/
言号美鳥 明石伴内　　　 Iinazuke Midori/
各35.6×各25.3　　　 Akashi Bannai
二枚続　　Diptych　　A33603・4

22　歌川国貞 初代　　**Utagawa Kunisada I**
菅原道真 沢村訥升、　　Sawamura Toshishō in the Role of
覚寿尼 市川海老蔵　　　 Sugawara no Michizane/Ichikawa
各35.3×各24.0　　　 Ebizō in the Role of Kakuju-ni
二枚続　　Diptych　　A33587・8

23　歌川国貞 初代　　**Utagawa Kunisada I**
速見一鴬 笠松峠ノ女盗賊お松　　Hayami Ichio/Kasamatsu Tōge
夏目四郎三郎　　　 no Onna Tōzoku Omatsu/
各35.2×各25.2　　　 Natsume Shirōsaburō
二枚続　　Diptych　　A33607・8

24　歌川国貞 初代　　**Utagawa Kunisada I**
当世美人風流遊　　Elegant Pastimes
35.2×50.1　　　 of Beauties of the Day
二枚続　　Diptych
　　A297659・60

| 25 | 歌川国貞 初代
悉陀太子霊夢に
　普賢菩薩に見えたまふの図
弘化四〜五年
35.2×48.8　二枚続 | **Utagawa Kunisada I**
Shitta Taishi Having an Audience
　with Fugen Bodisattva in a Dream
1847-48
Diptych　　　　　A2631・2 | 26 | 歌川国貞 初代
（仮名手本忠臣蔵
　四段目）
各35.6×各24.4
二枚続 | **Utagawa Kunisada I**
［Kanadehon Chūshingura:
　Act Four］
Diptych
A33605・6 |

| 27 | 歌川国貞 初代
（蛍狩）
35.0×50.4
二枚続 | **Utagawa Kunisada I**
［Catching Fireflies］
Diptych

A3978/79 | 28 | 歌川国貞 初代
おふさ 岩井杜若、
　半時九郎兵衛 市川海老蔵
各35.2×各23.5
三枚続の二枚 | **Utagawa Kunisada I**
Iwai Tojaku in the Role of
　Ofusa/Ichikawa Ebizō in the
　Role of Hantoki Kurōbei
Two of a triptych　　A33580・1 |

| 29 | 歌川国貞 初代
金かんざしの甚五郎
　白木屋後家おかん 白木屋お駒
弘化四〜五年
各35.8×各24.8　三枚続の二枚 | **Utagawa Kunisada I**
Kinkanzashi no Jingorō/Shirakiya
　Goke Okan/Shirakiya Okoma
1847-48
Two of a triptych　　A30577〜8 | 30 | 歌川国貞 初代
四条河原夕涼ノ図
35.8×48.6
三枚続の二枚 | **Utagawa Kunisada I**
Enjoying the Evening Cool
　on the Shijō River Bank
Two of a triptych
A29765・6 |

31　歌川国貞　初代　**Utagawa Kunisada I**
新板忠臣蔵十一段続　　New Chūshingura:
各35.9×各24.2　　　　　Sequel to Act Eleven
三枚続の二枚　　　　　Two of a triptych
　　　　　　　　　　　　　　　　A26985(a・b)

32　歌川国貞　初代　**Utagawa Kunisada I**
新吉原京町壱丁目角海老屋内　Sakurado and Ōharu of Ebiya
桜都 大はる　　　　　on the Corner of Kyōmachi
37.2×50.4　　　　　1-chōme, Shin Yoshiwara
三枚続の二枚　　　　Two of a triptych　A29726・7

33　歌川国貞　初代　**Utagawa Kunisada I**
三浦屋高尾 足利頼兼　Takao of Miuraya
36.3×49.4　　　　　and Ashikaga Yorikane
三枚続の二枚　　　　Two of a triptych
　　　　　　　　　　　　　　　　A33601・2

34　歌川国貞　初代　**Utagawa Kunisada I**
（曽我の対面）　　　[Confrontation with the
各35.3×各24.3　　　　Soga Brothers]
三枚続の二枚　　　　Two of a triptych
　　　　　　　　　　　　　　　　A33583・4

35　歌川国貞　初代　**Utagawa Kunisada I**
（清水詣）　　　　　[Pilgrimage to Kiyomizu]
弘化四～五年　　　　1847-48
37.1×50.4　　　　　Two of a triptych
三枚続の二枚　　　　　　　　　　A30575・6

36　歌川国貞　初代　**Utagawa Kunisada I**
（花合戦）　　　　　[Battle with Flowers]
安政元年　　　　　　1854
35.5×50.0　　　　　Two of a triptych
三枚続の二枚　　　　　　　　　　A29636・7

37 歌川国直 初代　　**Utagawa Kuninao I**
新板浮絵忠臣蔵　　Shinpan uki-e Chūshingura
五段目之図　　Act Five
20.7×32.5

A30432

38 歌川国丸　　**Utagawa Kunimaru**
新版浮絵忠臣蔵　　Shinpan uki-e Chūshingura
大序　　Opening Act
23.3×34.0

A7796

39 歌川国丸　　**Utagawa Kunimaru**
新版浮絵忠臣蔵　　Shinpan uki-e Chūshingura
二段目　　Act Two
23.3×34.0

A7797

40 歌川国丸　　**Utagawa Kunimaru**
新版浮絵忠臣蔵　　Shinpan uki-e Chūshingura
三段目　　Act Three
23.3×34.0

A7798

41 歌川国丸　　**Utagawa Kunimaru**
新版浮絵忠臣蔵　　Shinpan uki-e Chūshingura
四段目　　Act Four
23.3×34.0

A7799

42 歌川国丸　　**Utagawa Kunimaru**
新版浮絵忠臣蔵　　Shinpan uki-e Chūshingura
五段目　　Act Five
23.3×34.0

A7800

8

3

43 歌川国丸 　**Utagawa Kunimaru**
新版浮絵忠臣蔵 　Shinpan uki-e Chūshingura
六段目 　Act Six
23.3×34.0

A7801

44 歌川国丸 　**Utagawa Kunimaru**
新版浮絵忠臣蔵 　Shinpan uki-e Chūshingura
七段目 　Act Seven
23.3×34.0

A7803

45 歌川国丸 　**Utagawa Kunimaru**
新版浮絵忠臣蔵 　Shinpan uki-e Chūshingura
八段目 　Act Eight
23.3×34.0

A7804

46 歌川国丸 　**Utagawa Kunimaru**
新版浮絵忠臣蔵 　Shinpan uki-e Chūshingura
九段目 　Act Nine
23.3×34.0

A7805

47 歌川国丸 　**Utagawa Kunimaru**
新版浮絵忠臣蔵 　Shinpan uki-e Chūshingura
十段目 　Act Ten
23.3×34.0

A7806

48 歌川国丸 　**Utagawa Kunimaru**
新版浮絵忠臣蔵 　Shinpan uki-e Chūshingura
十一段目 　Act Eleven
23.3×34.0

A7807

9

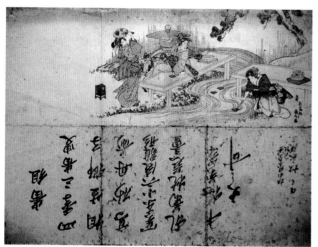

49　歌川国丸　**Utagawa Kunimaru**
（見立曲水の宴）　[Mitate of a Banquet
39.0×52.9　　　Along a Winding Stream]
摺物　　　　　Surimono
　　　　　　　　　　　　　　A30370

50　歌川国芳　**Utagawa Kuniyoshi**
国芳画本　　Kuniyoshi ehon
17.7×11.7　（Book of Kuniyoshi
　　　　　　　Illustrations)
　　　　　　　　　A11332~71 (387)

51　歌川国芳　**Utagawa Kuniyoshi**
唐土廿四孝　Morokoshi nijū shikō
丁蘭　　　Teiran
25.0×36.7
　　　　　　　　　　　　　　A30554

52　歌川国芳　**Utagawa Kuniyoshi**
教訓善悪子僧揃　Kyōkun zen'aku kozō zoroi
子ども衆をよくあそばせる小僧　Group of Children Playing/
かべにむだがきする小僧　Children Scribbling on a Wall
18.1×25.0　　　　A29170

53　歌川国芳　**Utagawa Kuniyoshi**
教訓善悪子僧揃　Kyōkun zen'aku kozō zoroi
つかゐ先用のよくたりる小僧　A Child Going on an Errand/
犬をかみ合せる小僧　Children Instigating Dog Fights
18.5×25.0　　　　A29171

54　歌川国芳　**Utagawa Kuniyoshi**
夏目四郎左衛門　Natsume Shirōzaemon/
鬼神之お松 奴磯平　Kishin no Omatsu/Yakko Isohei
嘉永二~三年　1849-50
35.1×49.5　二枚続　Diptych　　A33505・6

55	歌川国芳	**Utagawa Kuniyoshi**

55　歌川国芳　**Utagawa Kuniyoshi**
仲居おやま 岩井杜若、　Iwai Tojaku in the Role of
　名古屋山三　中村芝翫　Nakai Oyama/Nakamura Shikan
36.3×49.1　in the Role of Nagoya Sanza
三枚続の二枚　Two of a triptych　　A34126・7

56　歌川国芳　**Utagawa Kuniyoshi**
（夕涼み）　［Enjoying the Evening Cool］
弘化年間　ca. 1844-47
35.4×49.6　Two of a triptych
三枚続の二枚　　　　　A29634/35

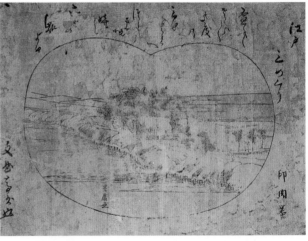

57　歌川国芳　**Utagawa Kuniyoshi**
（船上の侍と漁師）　［Samurai and
各35.4×各24.9　　Fisherman in Boats］
三枚続の二枚　Two of a triptych
　　　　　　　　　　A33507・8

58　歌川豊国 初代　**Utagawa Toyokuni I**
風流浮絵目黒山之図　Perspective Picture
26.2×38.1　　of Mt. Meguro

　　　　　　　　　　A34145

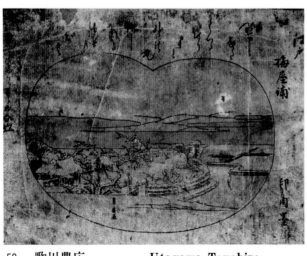

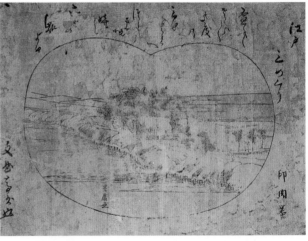

59　歌川豊広　**Utagawa Toyohiro**
江戸梅屋敷　Plum Estate in Edo
印肉墨　Innikuzumi
18.1×24.3

　　　　　　　A30293

60　歌川豊広　**Utagawa Toyohiro**
江戸三めぐり　Inspection Tour of Edo
18.3×24.2

　　　　　　　A30294

61　歌川豊広　**Utagawa Toyohiro**
（伊勢物語 武蔵野）　[Musashino from
12.0×17.6　the Tale of Ise]

A29272

62　歌川広重 初代　**Utagawa Hiroshige I**
東海道五十三次之内　Tōkaidō gojūsan tsugi no uchi
蒲原　Kanbara
天保四年頃　ca. 1833
22.7×35.0

A723

63　歌川広重 初代　**Utagawa Hiroshige I**
東海道五十三次之内　Tōkaidō gojūsan tsugi no uchi
関　Seki
天保四年頃　ca. 1833
22.8×34.9

A753

64　歌川広重 初代　**Utagawa Hiroshige I**
（七福神宝船）　[Seven Gods of Good
25.8×36.2　Fortune in a
　Treasure Ship]

A32130

65　歌川広重 初代　**Utagawa Hiroshige I**
（灌仏会）　[Celebration of
17.2×25.8　Buddha's Birth]

A29146

66　歌川広重 初代　**Utagawa Hiroshige I**
（釣狐）　[Tsurigitsune]
18.2×24.7

A28756

67　歌川広重 初代　　**Utagawa Hiroshige I**
（猫の軽業）　　　　[Cat Acrobatics]
18.1×24.3

A28696

68　歌川広重 初代　　**Utagawa Hiroshige I**
（水面の月）　　　　[Moon Reflected in the
21.3×34.2　　　　　　Water]

A30424

69　歌川広重 二代　　**Utagawa Hiroshige II**
東海道五十三次　　　Tōkaidō gojūsan tsugi
一 日本橋　　　　　One: Nihonbashi
安政元年　　　　　1854
12.3×17.8　　　　　　　　　　　A18363

70　歌川広重 二代　　**Utagawa Hiroshige II**
東海道五十三次　　　Tōkaidō gojūsan tsugi
二 品川　　　　　Two: Shinagawa
安政元年　　　　　1854
12.2×17.6　　　　　　　　　　　A18362

71　歌川広重 二代　　**Utagawa Hiroshige II**
東海道五十三次　　　Tōkaidō gojūsan tsugi
三 川さき　　　　Three: Kawasaki
安政元年　　　　　1854
12.1×17.6　　　　　　　　　　　A18365

72　歌川広重 二代　　**Utagawa Hiroshige II**
東海道五十三次　　　Tōkaidō gojūsan tsugi
四 加奈川　　　　Four: Kanagawa
安政元年　　　　　1854
12.1×17.6　　　　　　　　　　　A18366

73　歌川広重　二代　　**Utagawa Hiroshige II**
　　東海道五十三次　　Tōkaidō gojūsan tsugi
　　五　程がや　　　　Five: Hodogaya
　　安政元年　　　　　1854
　　12.3×17.5　　　　　　　　　　A18367

74　歌川広重　二代　　**Utagawa Hiroshige II**
　　東海道五十三次　　Tōkaidō gojūsan tsugi
　　六　戸塚　　　　　Six: Totsuka
　　安政元年　　　　　1854
　　12.1×17.5　　　　　　　　　　A18368

75　歌川広重　二代　　**Utagawa Hiroshige II**
　　東海道五十三次　　Tōkaidō gojūsan tsugi
　　七　藤沢　　　　　Seven: Fujisawa
　　安政元年　　　　　1854
　　12.2×17.6　　　　　　　　　　A18369

76　歌川広重　二代　　**Utagawa Hiroshige II**
　　東海道五十三次　　Tōkaidō gojūsan tsugi
　　八　平塚　　　　　Eight: Hiratsuka
　　安政元年　　　　　1854
　　12.2×17.6　　　　　　　　　　A18370

77　歌川広重　二代　　**Utagawa Hiroshige II**
　　東海道五十三次　　Tōkaidō gojūsan tsugi
　　九　大磯　　　　　Nine: Ōiso
　　安政元年　　　　　1854
　　11.8×17.7　　　　　　　　　　A18371

78　歌川広重　二代　　**Utagawa Hiroshige II**
　　東海道五十三次　　Tōkaidō gojūsan tsugi
　　十　小田原　　　　Ten: Odawara
　　安政元年　　　　　1854
　　12.2×17.6　　　　　　　　　　A18372

14

79　歌川広重 二代　　**Utagawa Hiroshige II**
東海道五十三次　　Tōkaidō gojūsan tsugi
十一 箱根　　　　Eleven: Hakone
安政元年　　　　1854
12.2×17.4　　　　　　　　　A18373

80　歌川広重 二代　　**Utagawa Hiroshige II**
東海道五十三次　　Tōkaidō gojūsan tsugi
十二 三嶋　　　　Twelve: Mishima
安政元年　　　　1854
12.2×17.4　　　　　　　　　A18374

81　歌川広重 二代　　**Utagawa Hiroshige II**
東海道五十三次　　Tōkaidō gojūsan tsugi
十三 沼津　　　　Thirteen: Numazu
安政元年　　　　1854
12.2×17.3　　　　　　　　　A18375

82　歌川広重 二代　　**Utagawa Hiroshige II**
東海道五十三次　　Tōkaidō gojūsan tsugi
十四 はら　　　　Fourteen: Hara
安政元年　　　　1854
12.0×17.4　　　　　　　　　A18376

83　歌川広重 二代　　**Utagawa Hiroshige II**
東海道五十三次　　Tōkaidō gojūsan tsugi
十五 吉原　　　　Fifteen: Yoshiwara
安政元年　　　　1854
12.2×17.4　　　　　　　　　A18377

84　歌川広重 二代　　**Utagawa Hiroshige II**
東海道五十三次　　Tōkaidō gojūsan tsugi
十六 蒲原　　　　Sixteen: Kanbara
安政元年　　　　1854
12.2×17.3　　　　　　　　　A18378

85　歌川広重　二代　　**Utagawa Hiroshige II**
東海道五十三次　　Tōkaidō gojūsan tsugi
十七　由井　　Seventeen: Yui
安政元年　　1854
12.2×17.6　　　　　　　　　　　A18409

86　歌川広重　二代　　**Utagawa Hiroshige II**
東海道五十三次　　Tōkaidō gojūsan tsugi
十八　奥津　　Eighteen: Okitsu
安政元年　　1854
12.0×17.6　　　　　　　　　　　A18410

87　歌川広重　二代　　**Utagawa Hiroshige II**
東海道五十三次　　Tōkaidō gojūsan tsugi
十九　江尻　　Nineteen: Ejiri
安政元年　　1854
12.2×17.4　　　　　　　　　　　A18411

88　歌川広重　二代　　**Utagawa Hiroshige II**
東海道五十三次　　Tōkaidō gojūsan tsugi
二十　府中　　Twenty: Fuchū
安政元年　　1854
12.0×17.3　　　　　　　　　　　A18412

89　歌川広重　二代　　**Utagawa Hiroshige II**
東海道五十三次　　Tōkaidō gojūsan tsugi
廿一　鞠子　　Twenty-one: Mariko
安政元年　　1854
12.3×17.4　　　　　　　　　　　A18361

90　歌川広重　二代　　**Utagawa Hiroshige II**
東海道五十三次　　Tōkaidō gojūsan tsugi
廿二　岡部　　Twenty-two: Okabe
安政元年　　1854
12.0×17.8　　　　　　　　　　　A18404

16

91　歌川広重 二代　**Utagawa Hiroshige II**
東海道五十三次　Tōkaidō gojūsan tsugi
廿三 藤枝　Twenty-three: Fujieda
安政元年　1854
12.3×17.6　A18406

92　歌川広重 二代　**Utagawa Hiroshige II**
東海道五十三次　Tōkaidō gojūsan tsugi
廿四 嶋田　Twenty-four: Shimada
安政元年　1854
12.0×17.4　A18402

93　歌川広重 二代　**Utagawa Hiroshige II**
東海道五十三次　Tōkaidō gojūsan tsugi
廿五 金谷　Twenty-five: Kanaya
安政元年　1854
12.3×17.7　A18382

94　歌川広重 二代　**Utagawa Hiroshige II**
東海道五十三次　Tōkaidō gojūsan tsugi
廿六 日坂　Twenty-six: Nissaka
安政元年　1854
12.2×17.5　A18360

95　歌川広重 二代　**Utagawa Hiroshige II**
東海道五十三次　Tōkaidō gojūsan tsugi
廿七 懸川　Twenty-seven: Kakegawa
安政元年　1854
11.6×17.2　A18381

96　歌川広重 二代　**Utagawa Hiroshige II**
東海道五十三次　Tōkaidō gojūsan tsugi
廿八 袋井　Twenty-eight: Fukuroi
安政元年　1854
12.2×17.5　A18405

ッ

97 歌川広重 二代　**Utagawa Hiroshige II**
東海道五十三次　Tōkaidō gojūsan tsugi
廿九　見附　Twenty-nine: Mitsuke
安政元年　1854
12.3×17.2　A18402

98 歌川広重 二代　**Utagawa Hiroshige II**
東海道五十三次　Tōkaidō gojūsan tsugi
三十　浜松　Thirty: Hamamatsu
安政元年　1854
11.7×17.0　A18403

99 歌川広重 二代　**Utagawa Hiroshige II**
東海道五十三次　Tōkaidō gojūsan tsugi
三十一　まい坂　Thirty-one: Maisaka
安政元年　1854
12.3×17.2　A18401

100 歌川広重 二代　**Utagawa Hiroshige II**
東海道五十三次　Tōkaidō gojūsan tsugi
三十二　荒井　Thirty-two: Arai
安政元年　1854
11.8×17.3　A18400

101 歌川広重 二代　**Utagawa Hiroshige II**
東海道五十三次　Tōkaidō gojūsan tsugi
三十三　白すか　Thirty-three: Shirasuka
安政元年　1854
12.4×17.3　A18399

102 歌川広重 二代　**Utagawa Hiroshige II**
東海道五十三次　Tōkaidō gojūsan tsugi
三十四　二川　Thirty-four: Futagawa
安政元年　1854
11.5×17.6　A18398

103　歌川広重　二代　　**Utagawa Hiroshige II**
東海道五十三次　　Tōkaidō gojūsan tsugi
三十五　吉田　　　Thirty-five: Yoshida
安政元年　　　　1854
12.2×17.3　　　　　　　　A18397

104　歌川広重　二代　　**Utagawa Hiroshige II**
東海道五十三次　　Tōkaidō gojūsan tsugi
三十六　御油　　　Thirty-six: Goyu
安政元年　　　　1854
11.6×17.1　　　　　　　　A18395

105　歌川広重　二代　　**Utagawa Hiroshige II**
東海道五十三次　　Tōkaidō gojūsan tsugi
三十七　赤坂　　　Thirty-seven: Akasaka
安政元年　　　　1854
12.3×17.1　　　　　　　　A18396

106　歌川広重　二代　　**Utagawa Hiroshige II**
東海道五十三次　　Tōkaidō gojūsan tsugi
三十八　藤川　　　Thirty-eight: Fujikawa
安政元年　　　　1854
11.8×17.3　　　　　　　　A18394

107　歌川広重　二代　　**Utagawa Hiroshige II**
東海道五十三次　　Tōkaidō gojūsan tsugi
三十九　岡崎　　　Thirty-nine: Okazaki
安政元年　　　　1854
12.2×17.3　　　　　　　　A18393

108　歌川広重　二代　　**Utagawa Hiroshige II**
東海道五十三次　　Tōkaidō gojūsan tsugi
四十　ちりう　　　Forty: Chiryū
安政元年　　　　1854
11.6×17.1　　　　　　　　A18392

109 歌川広重 二代
東海道五十三次
四十二 みや
安政元年
12.3×17.2

Utagawa Hiroshige II
Tōkaidō gojūsan tsugi
Forty-two: Miya
1854
A18391

110 歌川広重 二代
東海道五十三次
四十三 桑名
安政元年
11.6×17.2

Utagawa Hiroshige II
Tōkaidō gojūsan tsugi
Forty-three: Kuwana
1854
A18390

111 歌川広重 二代
東海道五十三次
四十四 四日市
安政元年
11.9×17.2

Utagawa Hiroshige II
Tōkaidō gojūsan tsugi
Forty-four: Yokkaichi
1854
A18414

112 歌川広重 二代
東海道五十三次
四十五 石薬師
安政元年
12.3×17.0

Utagawa Hiroshige II
Tōkaidō gojūsan tsugi
Forty-five: Ishiyakushi
1854
A18383

113 歌川広重 二代
東海道五十三次
四十六 庄野
安政元年
11.4×17.0

Utagawa Hiroshige II
Tōkaidō gojūsan tsugi
Forty-six: Shōno
1854
A18385

114 歌川広重 二代
東海道五十三次
四十七 亀やま
安政元年
12.4×17.1

Utagawa Hiroshige II
Tōkaidō gojūsan tsugi
Forty-seven: Kameyama
1854
A18386

115　歌川広重 二代　　**Utagawa Hiroshige II**
東海道五十三次　　Tōkaidō gojūsan tsugi
四十八 せき　　Forty-eight: Seki
安政元年　　1854
11.5×17.0　　　　　　　　　A18384

116　歌川広重 二代　　**Utagawa Hiroshige II**
東海道五十三次　　Tōkaidō gojūsan tsugi
四十九 坂の下　　Forty-nine: Sakanoshita
安政元年　　1854
12.4×17.2　　　　　　　　　A18379

117　歌川広重 二代　　**Utagawa Hiroshige II**
東海道五十三次　　Tōkaidō gojūsan tsugi
五十 土山　　Fifty: Tsuchiyama
安政元年　　1854
11.6×17.2　　　　　　　　　A18413

118　歌川広重 二代　　**Utagawa Hiroshige II**
東海道五十三次　　Tōkaidō gojūsan tsugi
五十一 みなくち　　Fifty-one: Minakuchi
安政元年　　1854
12.1×17.2　　　　　　　　　A18380

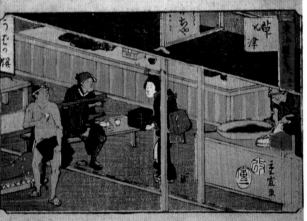

119　歌川広重 二代　　**Utagawa Hiroshige II**
東海道五十三次　　Tōkaidō gojūsan tsugi
五十二 石部　　Fifty-two: Ishibe
安政元年　　1854
11.8×17.0　　　　　　　　　A18387

120　歌川広重 二代　　**Utagawa Hiroshige II**
東海道五十三次　　Tōkaidō gojūsan tsugi
五十三 草津　　Fifty-three: Kusatsu
安政元年　　1854
12.2×17.1　　　　　　　　　A18389

121　歌川広重 二代　**Utagawa Hiroshige II**
東海道五十三次　Tōkaidō gojūsan tsugi
五十四　大津　Fifty-four: Ōtsu
安政元年　1854
11.7×17.1　　　　　　　A18388

122　歌川広重 二代　**Utagawa Hiroshige II**
東海道五十三次　Tōkaidō gojūsan tsugi
五十五　京三条大橋　Fifty-five: Sanjō Bridge, Kyoto
安政元年　1854
12.2×17.2　　　　　　　A18408

123　歌川広重 二代　**Utagawa Hiroshige II**
東海道五十三次　Tōkaidō gojūsan tsugi
大尾　清水　Finale: Kiyomizu
安政元年　1854
12.3×16.9　　　　　　　A18364

124　歌川広重 二代　**Utagawa Hiroshige II**
素人茶番 下げいこ　Amateurs Practicing
明治元年　Theatrical Roles
各35.6×各49.8　1868
二枚続　Diptych　A29450/51

125　歌川広重 二代　**Utagawa Hiroshige II**
（休み処 こじまや）　[Reststop: Kojimaya]
19.0×27.7
　　　　　　　A29017

126　歌川広重 二代　**Utagawa Hiroshige II**
（見立て戯）　[Playful Imitations]
21.5×21.3　Uchiwa-e
団扇絵
　　　　　　　A27023

127　歌川広重 二代　　**Utagawa Hiroshige II**
東海道薩多峠　　　Satta Pass on the Tōkaidō
34.0×48.5　　　　Two of a triptych
三枚続の二枚
　　　　　　　　　　　　　　　　A3271/73

128　（歌川広重 二代）　**[Utagawa Hiroshige II]**
子供あそびせうぶうちの図　Children Playing
各35.6×各48.9　　　with Shōbu Leaves
二枚続　　　　　　　Diptych
　　　　　　　　　　　　　　　　A29474/75

129　（歌川広重 二代）　**[Utagawa Hiroshige II]**
子供遊世直し祭　　Children Playing
35.5×49.6　　　　　　at the Yonaoshi Festival

　　　　　　　　　　　　　　　　A29462/63

130　歌川広重 三代　　**Utagawa Hiroshige III**
幼童遊び　　　　　Children Playing
　子をとろ子をとろ
36.8×49.2
　　　　　　　　　　　　　　　　A29722

131　歌川広重 三代　　**Utagawa Hiroshige III**
幼童遊び　　　　　Children Playing
　こをとろことろ　1868
明治元年
35.5×49.2
　　　　　　　　　　A29464/65

132　歌川広重 三代　　**Utagawa Hiroshige III**
東京上野公園　　　Competitive Exhibition of Silk,
蚕糸織物陶漆器共進会場図　Textiles, Ceramics, and
明治十八年　　　　　Lacquerware in Ueno Park, Tokyo
36.7×50.5　　　　1885/3　　　A30351

133　歌川芳艶 初代　　**Utagawa Yoshitsuya I**
唯一太々香　　　　　The One and Only
文久二年　　　　　　　Taitaikō
17.8×23.7　　　　　1862

A27763

134　歌川芳盛 初代　　**Utagawa Yoshimori I**
（舌切り雀）　　　　　[Tongue-cut Sparrow]
元治元年　　　　　　　1864
36.3×48.9　　　　　Two of a triptych
三枚続の二枚

A29797/98

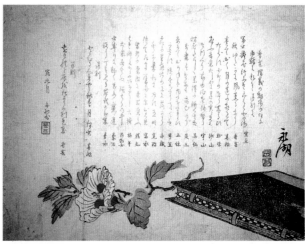

135　梅川東南　　　　**Umegawa Tōnan**
（お能）　　　　　　　[Nō Play]
37.7×51.8　　　　　Surimono
摺物

A6535

136　有楽斎長秀　　　**Yūrakusai Nagahide**
宝船　　　　　　　　Treasure Ship
18.1×21.3　　　　　Surimono
摺物

A19888

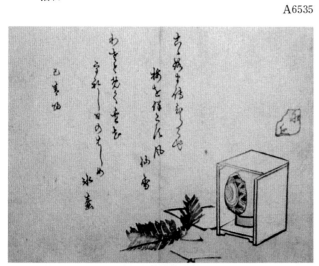

137　永丘　　　　　　**Eikyū**
（祝物）　　　　　　　[Gift]
12.7×13.8　　　　　Surimono
摺物

A28027

138　永湖　　　　　　**Eiko**
（ノートに芙蓉）　　　[Notebook and Hibiscus]
21.5×27.8　　　　　Surimono
摺物

A27698

24

139 （榎本賢次郎）
（明治天皇舞楽観覧の図）
明治二七年
石版
30.0×40.4

[Enomoto Kenjirō]
[The Meiji Emperor
    Watching Bugaku]
1894/2/26
Lithograph   A29393

140 尾形月耕
浮世十二ケ月
正月
明治二三年
23.6×35.0

Ogata Gekkō
Ukiyo jūnikkagetsu
The First Month
1890
                   A4397

141 尾形月耕
浮世十二ケ月
二月
明治二三年
24.3×35.2

Ogata Gekkō
Ukiyo jūnikkagetsu
The Second Month
1890
                   A18605

142 尾形月耕
浮世十二ケ月
三月
明治二三年
24.8×36.0

Ogata Gekkō
Ukiyo jūnikkagetsu
The Third Month
1890
                   A18604

143 尾形月耕
浮世十二ケ月
四月
明治二三年
24.9×36.0

Ogata Gekkō
Ukiyo jūnikkagetsu
The Fourth Month
1890
                   A18603

144 尾形月耕
浮世十二ケ月
五月
明治二三年
25.1×36.3

Ogata Gekkō
Ukiyo jūnikkagetsu
The Fifth Month
1890
                   A18602

145 　尾形月耕　　　　**Ogata Gekkō**
　　浮世十二ケ月　　Ukiyo jūnikkagetsu
　　六月　　　　　　The Sixth Month
　　明治二三年　　　1890
　　23.8×35.0　　　　　　　　　　A4396

146 　尾形月耕　　　　**Ogata Gekkō**
　　浮世十二ケ月　　Ukiyo jūnikkagetsu
　　七月　　　　　　The Seventh Month
　　明治二三年　　　1890
　　23.9×34.9　　　　　　　　　　A4398

147 　尾形月耕　　　　**Ogata Gekkō**
　　浮世十二ケ月　　Ukiyo jūnikkagetsu
　　八月　　　　　　The Eighth Month
　　明治二三年　　　1890
　　25.0×35.6　　　　　　　　　　A18601

148 　尾形月耕　　　　**Ogata Gekkō**
　　浮世十二ケ月　　Ukiyo jūnikkagetsu
　　九月　　　　　　The Ninth Month
　　明治二三年　　　1890
　　23.7×34.7　　　　　　　　　　A4395

149 　尾形月耕　　　　**Ogata Gekkō**
　　浮世十二ケ月　　Ukiyo jūnikkagetsu
　　十月　　　　　　The Tenth Month
　　明治二三年　　　1890
　　23.8×34.8　　　　　　　　　　A4400

150 　尾形月耕　　　　**Ogata Gekkō**
　　浮世十二ケ月　　Ukiyo jūnikkagetsu
　　十一月　　　　　The Eleventh Month
　　明治二三年　　　1890
　　23.7×34.9　　　　　　　　　　A4399

151　尾形月耕　　　　**Ogata Gekkō**
（狐の嫁入）　　　　[Fox Wedding]
16.7×20.5　　　　Book cover illustration
袋絵

A27724

152　尾形月耕　　　　**Ogata Gekkō**
『大岡政談』　　　　Ōoka seidan
17.2×21.3　　　　Book cover illustration
袋絵

A27705

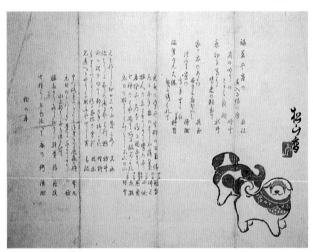

153　尾崎松山　　　　**Ozaki Shōzan**
（張子の犬）　　　　[Paper-mache Dogs]
19.1×25.6　　　　Surimono
摺物

A27262

154　落合芳幾　　　　**Ochiai Yoshiiku**
仮名手本忠臣蔵　　　Kanadehon Chūshingura
大序　　　　　　　Opening Act
24.9×36.2

A29781

155　落合芳幾　　　　**Ochiai Yoshiiku**
仮名手本忠臣蔵　　　Kanadehon Chūshingura
二段目　　　　　　Act Two
24.8×36.3

A29782

156　落合芳幾　　　　**Ochiai Yoshiiku**
仮名手本忠臣蔵　　　Kanadehon Chūshingura
三段目　　　　　　Act Three
24.8×36.4

A29783

157　落合芳幾
仮名手本忠臣蔵
四段目
24.7×36.4

Ochiai Yoshiiku
Kanadehon Chūshingura
Act Four

A29784

158　落合芳幾
仮名手本忠臣蔵
五段目
24.7×36.2

Ochiai Yoshiiku
Kanadehon Chūshingura
Act Five

A29785

159　落合芳幾
仮名手本忠臣蔵
六段目
24.8×36.5

Ochiai Yoshiiku
Kanadehon Chūshingura
Act Six

A29786

160　落合芳幾
仮名手本忠臣蔵
七段目
24.8×36.3

Ochiai Yoshiiku
Kanadehon Chūshingura
Act Seven

A29787

161　落合芳幾
仮名手本忠臣蔵
八段目
24.7×36.5

Ochiai Yoshiiku
Kanadehon Chūshingura
Act Eight

A29788

162　落合芳幾
仮名手本忠臣蔵
十段目
24.7×36.3

Ochiai Yoshiiku
Kanadehon Chūshingura
Act Ten

A29789

28

163 落合芳幾
　仮名手本忠臣蔵
　十一段目
　24.9×36.5

Ochiai Yoshiiku
Kanadehon Chūshingura
Act Eleven

A29790

164 可亀真清
　（乱舞）
　20.9×34.5

Kagame Shinsei
[Wild Dancing]

A27585

165 勝川春好 二代
　（業平東下り）
　23.3×35.6

Katsukawa Shunkō II
[Narihira Going
　to Azuma]

A4380

166 勝川春好 二代
　（見立業平東下り）
　22.2×34.2

Katsukawa Shunkō II
[Mitate of Narihira Going
　to Azuma]

A4392

167 勝川春好 二代
　（見立高砂）
　23.7×35.3

Katsukawa Shunkō II
[Mitate of Takasago]

A4383

168 勝川春好 二代
　（二見が浦）
　22.2×34.0

Katsukawa Shunkō II
[Futamigaura]

A4385

29

169 勝川春好 二代
（三保の松原）
23.7×37.2
Katsukawa Shunkō II
[Miho no Matsubara]

A4376

170 勝川春好 二代
（舟上の猿廻）
22.9×33.8
Katsukawa Shunkō II
[Monkey Trainer
in a Boat]

A4387

171 勝川春好 二代
（若菜摘）
21.8×34.8
Katsukawa Shunkō II
[Gathering Young Greens]

A30469

172 勝川春好 二代
（亀戸梅屋敷）
23.2×34.4
Katsukawa Shunkō II
[Plum Estate at Kameido]

A30468

173 勝川春好 二代
（官女の花見）
21.9×33.7
Katsukawa Shunkō II
[Court Nobility
Viewing Flowers]

A4394

174 勝川春好 二代
（御殿山の花見）
37.4×50.7
摺物
Katsukawa Shunkō II
[Flower-Viewing
at Gotenyama]
Surimono

A6526

175　勝川春好　二代　**Katsukawa Shunkō II**
（潮汲）　　　　　　［Shiokumi］
21.9×34.2

A4393

176　勝川春好　二代　**Katsukawa Shunkō II**
（蛍狩）　　　　　　［Catching Fireflies］
22.3×34.3

A4391

177　勝川春好　二代　**Katsukawa Shunkō II**
（蛍狩）　　　　　　［Catching Fireflies］
23.7×37.3

A4377

178　勝川春好　二代　**Katsukawa Shunkō II**
（屋形船遊興）　　　［Merrymaking
23.0×36.2　　　　　　in a Houseboat］

A4375

179　勝川春好　二代　**Katsukawa Shunkō II**
（唐子雪遊）　　　　［Boys Playing
23.7×34.5　　　　　　in the Snow］

A4356

180　勝川春好　二代　**Katsukawa Shunkō II**
（雪遊）　　　　　　［Playing in the Snow］
22.5×34.2

A4389

181　葛飾戴斗 二代　**Katsushika Taito II**
（羽突・鞠突）　[Playing Battledore and
文政後期　　　　Shuttlecock/Playing with a Ball]
21.0×18.1　ca. 1825-30
摺物　　**Surimono**　　A30265・8

182　葛飾北斎　　**Katsushika Hokusai**
勝景奇覧　Shōkei kiran
相州袖ケ浦　Sodegaura, Sōshū
天保六年頃　ca. 1835
21.5×29.1　　　　　A30364

183　葛飾北斎　　**Katsushika Hokusai**
勝景奇覧　Shōkei kiran
上州妙義山　Myōgisan, Jōshū
天保六年頃　ca. 1835
21.5×29.3
　　　　　　　　A30365

184　葛飾北斎　　**Katsushika Hokusai**
上野　Ueno
11.9×17.1

　　　　　　　　A29228

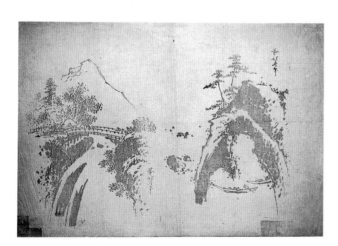

185　葛飾北斎　　**Katsushika Hokusai**
山水図　Landscapes
藍摺　Aizuri
26.3×38.9

　　　　　　　　A30470

186　葛飾北斎　　**Katsushika Hokusai**
（牛の置物）　[Cow Figurine]
13.6×18.4　**Surimono**
摺物

　　　　　　　　A19873

187 　河鍋暁斎
　　浮世絵大津之連中 睡眠の図
　　各35.2×各48.9
　　二枚続

Kawanabe Kyōsai
Ukiyo-e Ōtsu Series:
　Sleeping
Diptych

A2615/16

188 　河鍋暁斎
　　（しゃこ）
　　18.7×22.0

Kawanabe Kyōsai
[Mantis Crabs]

A29180

189 　河鍋暁斎
　　（伊勢海老）
　　16.6×20.7
　　団扇絵

Kawanabe Kyōsai
[Lobster]
Uchiwa-e

A29181

190 　河鍋暁斎
　　（印と印肉）
　　明治十二年
　　20.1×26.9
　　摺物

Kawanabe Kyōsai
[Seals and Inkpad]
1879
Surimono

A29188

191 　河鍋暁斎
　　（象の彫刻）
　　13.3×17.4
　　摺物

Kawanabe Kyōsai
[Sculpting an Elephant]
Surimono

A30307

192 　（河鍋暁斎）
　　世界之穂羅会
　　35.8×50.4

[**Kawanabe Kyōsai**]
Talking Big

A29568/69

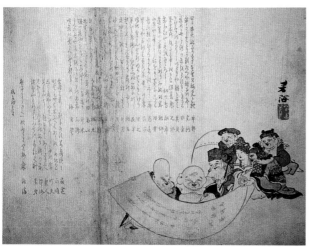

193 看海
（七福神）
21.8×27.8
摺物

Kankai
[Seven Gods
　　of Good Fortune]
Surimono

A27244

194 岳亭
寄竹祝
18.5×27.3
口絵

Gakutei
Celebration of Bamboo
Frontispiece

A30269

195 菊川英山
忠臣蔵子供遊
初段
11.4×18.0

Kikukawa Eizan
Chūshingura kodomo asobi
Opening Act

A26993

196 菊川英山
（見立調布の玉川）
22.7×35.8

Kikukawa Eizan
[Mitate of Tamagawa
　　in Chōfu]

A4382

197 菊川英山
（見立潮汲）
21.8×35.6

Kikukawa Eizan
[Mitate of Shiokumi]

A4381

198 菊川英山
（見立鷹狩行列）三・四
文化十一年
各36.5×各26.3
続物の二枚

Kikukawa Eizan
[Mitate of a Falconry
　　Procession]: Three and Four
1814
Two of a diptych　　A3091・2

34

199　喜多川歌麿　二代　　**Kitagawa Utamaro II**
桜花の顔ばせ　　　　　　A Face as Fair as
文化前期　　　　　　　　　　Cherry Blossoms
24.9×35.7　　　　　　ca. 1805-10
　　　　　　　　　　　A30321

200　（喜多川歌麿　二代）　　**[Kitagawa Utamaro II]**
（見立天智天皇）　　　　[Mitate of
文化頃　　　　　　　　　　Emperor Tenchi]
16.2×30.7　　　　　　ca. 1800-20
　　　　　　　　　　　A4360

201　（喜多川歌麿　二代）　**[Kitagawa Utamaro II]**
（縁先官女）　　　　　　[Court Lady
文化頃　　　　　　　　　　on a Veranda]
16.2×30.6　　　　　　ca. 1800-20
　　　　　　　　　　　A4362

202　（喜多川歌麿　二代）　**[Kitagawa Utamaro II]**
（蹴鞠）　　　　　　　　[Kemari]
文化頃　　　　　　　　　　ca. 1800-20
16.2×30.6
　　　　　　　　　　　A4359

203　喜多川歌麿　二代　　**Kitagawa Utamaro II**
（業平東下り）　　　　　[Narihira Going to
35.7×47.8　　　　　　Azuma]
摺物　　　　　　　　　　Surimono
　　　　　　　　　　　A30374

204　喜多川歌麿　二代　　**Kitagawa Utamaro II**
（見立潮汲）　　　　　　[Mitate of Shiokumi]
文化前期　　　　　　　ca. 1806-10
各37.2×各25.3　　　　Two of a triptych
三枚続の二枚
　　　　　　　　　　　A33753・4

正

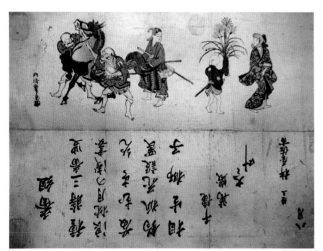

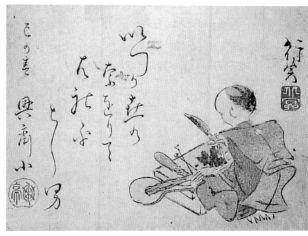

205 　喜多武清　　　**Kita Busei**
（元禄風俗）　　　[Genroku Customs]
38.6×50.8　　　Surimono
摺物

　　　　　　　　　　　　　　A30369

206 　行真　　　　**Gyōshin**
（七草の節句）　　[Feast of the Seven Herbs
13.2×18.2　　　　of Health]
絵暦　　　　　　Egoyomi

　　　　　　　　　　　　　　A26999

207 　旭峰　　　　**Kyokuhō**
（桜）　　　　　　[Cherry Blossoms]
20.7×20.3　　　Surimono
摺物

　　　　　　　　　　　　　　A27029

208 　魚梗　　　　**Gyokyō**
（正月飾り）　　　[New Year's Decorations]
11.4×16.3　　　Surimono
摺物

　　　　　　　　　　　　　　A29057

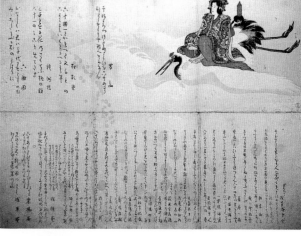

209 　叢豊丸 初代　**Kusamura Toyomaru I**
（凧上げ）　　　　[Flying a Kite]
12.0×17.4　　　Surimono
摺物

　　　　　　　　　　　　　　A30291

210 　窪俊満　　　**Kubo Shunman**
（費長房）　　　　Hichōbō
文化三年　　　　1806
41.7×55.3　　　Surimono
摺物

　　　　　　　　　　　　　　A6533

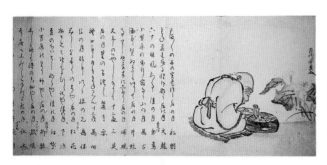

211　月桃園 （金物細工師） 18.1×40.1 摺物	**Gettōen** [Metalworker] Surimono A28701
212　玄々堂 初代 （結び文売） 銅版 9.7×14.7	**Gengendō I** [Selling Wishing Paper 　Strips] Copperplate engraving A27260

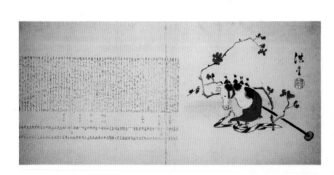

213　古一 （たんぽぽ） 15.6×21.2 摺物	**Koichi** [Dandelion] Surimono A27636
214　広斎 （筆に墨） 14.2×18.3 摺物	**Kōsai** [Brush and Inkstick] Surimono A27807

215　洪堂 （春駒に紅梅） 19.5×42.6 摺物	**Kōdō** [Hobby Horse 　and Red Plum] Surimono A27758
216　香圃秋 （朝日に鶴） 43.2×57.4 摺物	**Kōhoshū** [Cranes in the 　Morning Sun] Surimono A30376

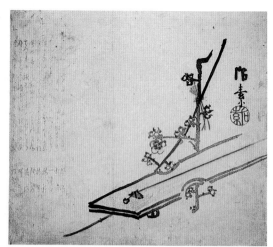

217　后素
（一弦琴に白梅）
18.8×20.6
摺物

Goso
[One-stringed Koto
　　and Plum Blossoms]
Surimono

A27544

218　后素
（茶匙に山茶花）
19.1×20.3
摺物

Goso
[Sazanqua and
　　Bamboo Tea Scoop]
Surimono

A27558

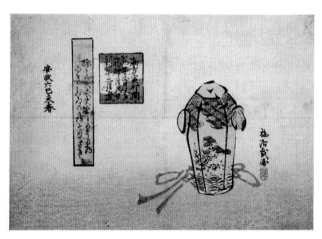

219　桜居戴
（茶壺）
安政六年
12.6×18.1
摺物

Sakura Kyotai
[Tea Jar]
1859
Surimono

A27688

220　笹木芳瀧
勧善懲悪錦画新聞
第壱号
約18.8×約26.6

Sasaki Yoshitaki
Kanzen chōaku
　　nishiki-e shinbun
Number One

A23632

221　笹木芳瀧
勧善懲悪錦画新聞
第貳号
約18.8×約26.6

Sasaki Yoshitaki
Kanzen chōaku
　　nishiki-e shinbun
Number Two

A23633

222　笹木芳瀧
勧善懲悪錦画新聞
第三号
約18.8×約26.6

Sasaki Yoshitaki
Kanzen chōaku
　　nishiki-e shinbun
Number Three

A23634

223	笹木芳瀧	**Sasaki Yoshitaki**
	勧善懲悪錦画新聞	Kanzen chōaku
	第四号	nishiki-e shinbun
	約18.8×約26.6	Number Four

A23635

224	笹木芳瀧	**Sasaki Yoshitaki**
	勧善懲悪錦画新聞	Kanzen chōaku
	第五号	nishiki-e shinbun
	約18.8×約26.6	Number Five

A23636

225	笹木芳瀧	**Sasaki Yoshitaki**
	勧善懲悪錦画新聞	Kanzen chōaku
	第六号	nishiki-e shinbun
	約18.8×約26.6	Number Six

A23637

226	笹木芳瀧	**Sasaki Yoshitaki**
	勧善懲悪錦画新聞	Kanzen chōaku
	第七号	nishiki-e shinbun
	約18.8×約26.6	Number Seven

A23638

227	笹木芳瀧	**Sasaki Yoshitaki**
	勧善懲悪錦画新聞	Kanzen chōaku
	第八号	nishiki-e shinbun
	約18.8×約26.6	Number Eight

A23639

228	笹木芳瀧	**Sasaki Yoshitaki**
	勧善懲悪錦画新聞	Kanzen chōaku
	第九号	nishiki-e shinbun
	約18.8×約26.6	Number Nine

A23640

229　笹木芳瀧
勧善懲悪錦画新聞
第十号
約18.8×約26.6

Sasaki Yoshitaki
Kanzen chōaku
　nishiki-e shinbun
Number Ten

A23641

230　笹木芳瀧
勧善懲悪錦画新聞
第十一号
約18.8×約26.6

Sasaki Yoshitaki
Kanzen chōaku
　nishiki-e shinbun
Number Eleven

A23642

231　笹木芳瀧
勧善懲悪錦画新聞
第十二号
約18.8×約26.6

Sasaki Yoshitaki
Kanzen chōaku
　nishiki-e shinbun
Number Twelve

A23643

232　笹木芳瀧
勧善懲悪錦画新聞
第十三号
約18.8×約26.6

Sasaki Yoshitaki
Kanzen chōaku
　nishiki-e shinbun
Number Thirteen

A23644

233　笹木芳瀧
勧善懲悪錦画新聞
第十四号
約18.8×約26.6

Sasaki Yoshitaki
Kanzen chōaku
　nishiki-e shinbun
Number Fourteen

A23645

234　笹木芳瀧
勧善懲悪錦画新聞
第十五号
約18.8×約26.6

Sasaki Yoshitaki
Kanzen chōaku
　nishiki-e shinbun
Number Fifteen

A23646

235　笹木芳瀧　　　**Sasaki Yoshitaki**
　　勧善懲悪錦画新聞　Kanzen chōaku
　　第十六号　　　　　nishiki-e shinbun
　　約18.8×約26.6　　Number Sixteen

A23647

236　笹木芳瀧　　　**Sasaki Yoshitaki**
　　勧善懲悪錦画新聞　Kanzen chōaku
　　第十七号　　　　　nishiki-e shinbun
　　約18.8×約26.6　　Number Seventeen

A23648

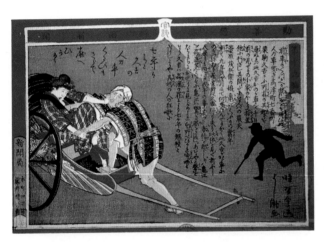

237　笹木芳瀧　　　**Sasaki Yoshitaki**
　　勧善懲悪錦画新聞　Kanzen chōaku
　　第十九号　　　　　nishiki-e shinbun
　　約18.8×約26.6　　Number Nineteen

A23649

238　笹木芳瀧　　　**Sasaki Yoshitaki**
　　勧善懲悪錦画新聞　Kanzen chōaku
　　第二十号　　　　　nishiki-e shinbun
　　約18.8×約26.6　　Number Twenty

A23650

239　笹木芳瀧　　　**Sasaki Yoshitaki**
　　勧善懲悪錦画新聞　Kanzen chōaku
　　第廿一号　　　　　nishiki-e shinbun
　　約18.8×約26.6　　Number Twenty-one

A23651

240　笹木芳瀧　　　**Sasaki Yoshitaki**
　　勧善懲悪錦画新聞　Kanzen chōaku
　　第廿二号　　　　　nishiki-e shinbun
　　約18.8×約26.6　　Number Twenty-two

A23652

241 笹木芳瀧　**Sasaki Yoshitaki**
勧善懲悪錦画新聞　**Kanzen chōaku**
第廿三号　　　　**nishiki-e shinbun**
約18.8×約26.6　**Number Twenty-three**
　　　　　　　　　　　　　　A23653

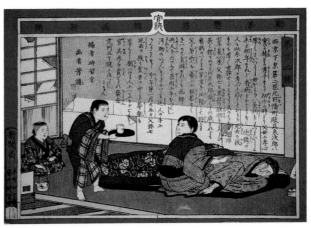

242 笹木芳瀧　**Sasaki Yoshitaki**
勧善懲悪錦画新聞　**Kanzen chōaku**
第廿四号　　　　**nishiki-e shinbun**
約18.8×約26.6　**Number Twenty-four**
　　　　　　　　　　　　　　A23654

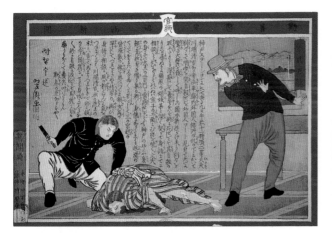

243 笹木芳瀧　**Sasaki Yoshitaki**
勧善懲悪錦画新聞　**Kanzen chōaku**
第廿五号　　　　**nishiki-e shinbun**
約18.8×約26.6　**Number Twenty-five**
　　　　　　　　　　　　　　A23655

244 笹木芳瀧　**Sasaki Yoshitaki**
勧善懲悪錦画新聞　**Kanzen chōaku**
第廿六号　　　　**nishiki-e shinbun**
約18.8×約26.6　**Number Twenty-six**
　　　　　　　　　　　　　　A23656

245 笹木芳瀧　**Sasaki Yoshitaki**
勧善懲悪錦画新聞　**Kanzen chōaku**
第廿七号　　　　**nishiki-e shinbun**
約18.8×約26.6　**Number Twenty-seven**
　　　　　　　　　　　　　　A23657

246 笹木芳瀧　**Sasaki Yoshitaki**
勧善懲悪錦画新聞　**Kanzen chōaku**
第廿八号　　　　**nishiki-e shinbun**
約18.8×約26.6　**Number Twenty-eight**
　　　　　　　　　　　　　　A23658

247 笹木芳瀧　　　　**Sasaki Yoshitaki**
勧善懲悪錦画新聞　　Kanzen chōaku
第廿九号　　　　　　　nishiki-e shinbun
約18.8×約26.6　　　Number Twenty-nine
　　　　　　　　　　　　　　　　A23659

248 笹木芳瀧　　　　**Sasaki Yoshitaki**
勧善懲悪錦画新聞　　Kanzen chōaku
第三十号　　　　　　　nishiki-e shinbun
約18.8×約26.6　　　Number Thirty
　　　　　　　　　　　　　　　　A23660

249 笹木芳瀧　　　　**Sasaki Yoshitaki**
勧善懲悪錦画新聞　　Kanzen chōaku
第三十五号　　　　　　nishiki-e shinbun
約18.8×約26.6　　　Number Thirty-five
　　　　　　　　　　　　　　　　A23661

250 笹木芳瀧　　　　**Sasaki Yoshitaki**
勧善懲悪錦画新聞　　Kanzen chōaku
第三十六号　　　　　　nishiki-e shinbun
約18.8×約26.6　　　Number Thirty-six
　　　　　　　　　　　　　　　　A23662

251 笹木芳瀧　　　　**Sasaki Yoshitaki**
勧善懲悪錦画新聞　　Kanzen chōaku
第三十七号　　　　　　nishiki-e shinbun
約18.8×約26.6　　　Number Thirty-seven
　　　　　　　　　　　　　　　　A23663

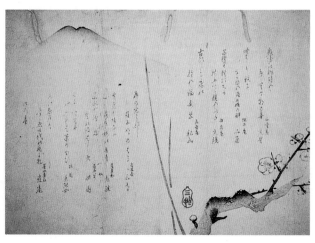

252 三撰　　　　　　**Sansai**
（梅に山）　　　　　［Mountain and
19.8×27.7　　　　　 Blossoming Plum］
摺物　　　　　　　　Surimono
　　　　　　　　　　　　　　　　A28015

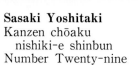

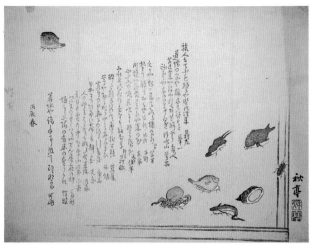

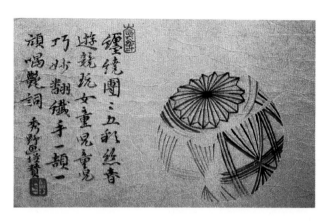

253　秋亭　　　　**Shūtei**
（魚尽し）　　　［Various Kinds of Fish］
安政三年　　　　1856
19.1×25.3　　　Surimono
摺物　　　　　　　　　　　　A30304

254　秀野　　　　**Shūya**
（鞠）　　　　　［Ball］
9.8×16.0　　　Egoyomi
絵暦
　　　　　　　　　　　　　　A30460

255　春道　　　　**Shundō**
（朝日に七福人）　［Seven Gods of Good Fortune
石版　　　　　　　and the Rising Sun］
35.1×48.3　　　Lithograph
　　　　　　　　　　　　　　A19033

256　昇亭北寿　　**Shōtei Hokuju**
讃州象頭山之図　View of Mt. Zōtō,
18.9×27.3　　　　Sanshū
　　　　　　　　　　　　　　A30061

257　柴田是真　　**Shibata Zeshin**
（漁師の親子）　［Fisherman Father
21.1×23.6　　　　and Child］
　　　　　　　　　　　　　　A29182

258　柴田是真　　**Shibata Zeshin**
（寿老人）　　　［Jurōjin］
明治十八年　　　1885
石版　　　　　　　Lithograph
33.5×43.5　　　　　　　　　A29391

259 柴田是真　**Shibata Zeshin**
（膳に朝顔）　[Morning Glories
23.2×23.7　　　on a Tray]
団扇絵　Uchiwa-e

A29191

260 柴田是真　**Shibata Zeshin**
（祝文）　[Bearer of New Year's
19.0×23.6　　　Messages]
摺物　Surimono

A28743

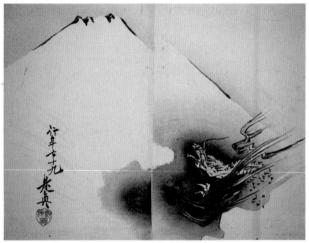

261 柴田是真　**Shibata Zeshin**
（富士に昇る龍）　[Dragon Ascending Mt. Fuji]
明治十八年　1885
23.5×31.0　Illustration
挿絵

A29151

262 如真　**Joshin**
（梅に兎飾り）　[Plum Branch and
19.4×24.1　　　Rabbit Figurine]
摺物　Surimono

A30306

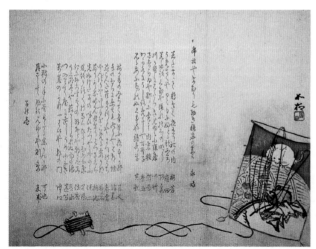

263 如柳　**Joryū**
（凧）　[Kite]
19.6×26.6　Surimono
摺物

A27300

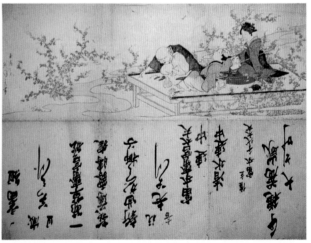

264 泉 守一　**Izumi Morikazu**
（萩見）　[Viewing Bush Clover]
38.5×51.8　Surimono
摺物

A30373

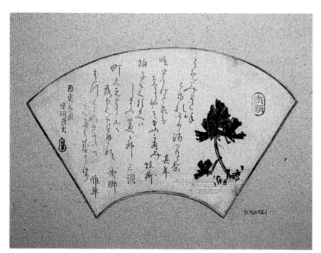

265 鈴木南嶺
(小松)
10.5×17.2
摺物

Suzuki Nanrei
[Small Pines]
Surimono

A27296

266 晴皋
(岩礁)
19.2×25.6
摺物

Seikō
[Reef]
Surimono

A27821

267 晴春
(猿廻)
19.3×42.9
絵暦

Seishun
[Monkey]
Egoyomi

A28700

268 晴春
(梅に小犬)
19.5×36.5
摺物

Seishun
[Puppy and Plum Tree]
Surimono

A27390

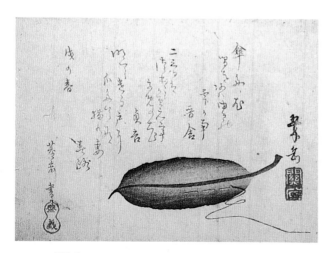

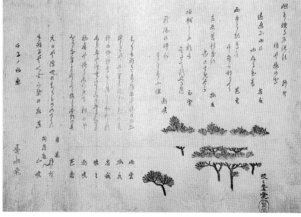

269 石翠岳
(木葉に針糸)
13.0×18.4
摺物

Seki Suigaku
[Leaf and Thread]
Surimono

A27736

270 雙々素堂
(松林に霞)
17.5×23.9
摺物

Sōsō Sodō
[Pines in Mist]
Surimono

A28024

46

271 宗理 三代　　　　**Sōri III**
（両国橋）　　　　　　［Ryōgoku Bridge］
37.9×52.8　　　　Surimono
摺物

A6525

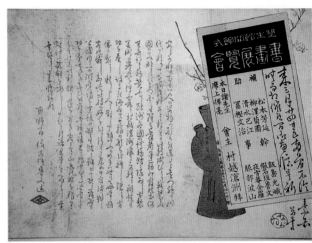

272 素岳　　　　　　**Sogaku**
書画展覧会　　　　Calligraphy and Painting
18.4×25.5　　　　　Exhibition ［Announcement］
摺物　　　　　　　Surimono

A27555

273 武内桂舟　　　　**Takeuchi Keishū**
最後之大勝　　　　The Last Great Victory
35.6×50.6

A29407

274 田中抱二　　　　**Tanaka Hōji**
（雁）　　　　　　　［Geese］
21.2×28.0　　　　Surimono
摺物

A28018

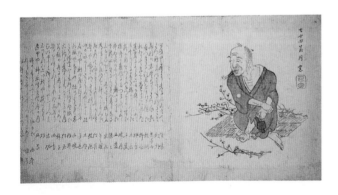

275 谷口月窓　　　　**Taniguchi Gessō**
（一服）　　　　　　［Having a Smoke］
20.0×38.1　　　　Surimono
摺物

A27267

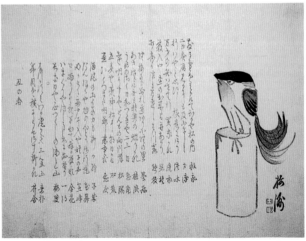

276 玉手梅洲　　　　**Tamate Baishū**
（木彫の鳥）　　　　［Carved Wooden Bird］
18.8×25.1　　　　Surimono
摺物

A27774

277 **長水**
(牛小屋)
19.5×25.9
摺物

Chōsui
[Cow Barn]
Surimono

A30305

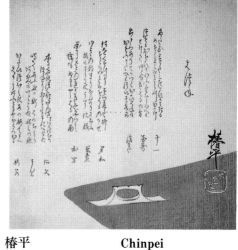

278 **椿平**
初音
18.7×18.5
摺物

Chinpei
The First Song
of the New Year
Surimono

A27350

279 **月岡芳年**
皇国歴代勤王競
各37.1×各25.1

Tsukioka Yoshitoshi
Gathering of
Imperial Loyalists

A34162(a・b)

280 **月岡芳年**
(鰹)
24.5×25.2

Tsukioka Yoshitoshi
[Bonito]

A29179

281 **蹄斎北馬**
(御殿山の花見)
37.0×51.4
摺物

Teisai Hokuba
[Flower-Viewing
at Gotenyama]
Surimono

A6527

282 **蹄斎北馬**
(梅に鶯)
12.9×17.5
摺物

Teisai Hokuba
[Bush Warbler
on a Plum Branch]
Surimono

A6529

283 蹄斎北馬
(萬歳)
文化後期
19.5×26.2
摺物

Teisai Hokuba
[Comic Dialogue]
ca. 1810-20
Surimono
A30311

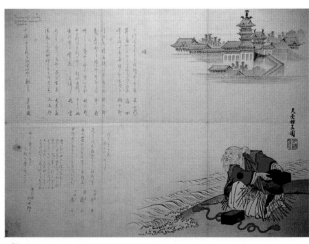

284 天受館玉園
(浦島と龍宮)
41.8×55.4
摺物

Tenjukan Gyokuen
[Urashima and
Ryūgū Palace]
Surimono
A6532

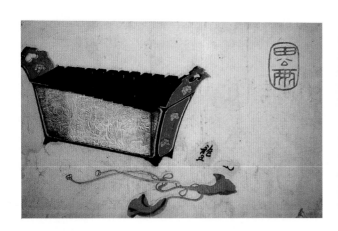

285 田公斎
(木琴と将棋の駒)
21.0×32.8
摺物

Denkōsai
[Xylophone and
Go Pieces]
Surimono
A29014

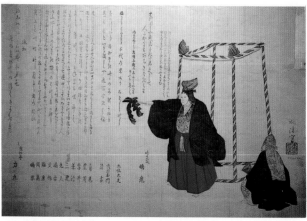

286 桃溪
(謡曲『三輪』)
39.0×55.2
摺物

Tōkei
[Scene from
"Miwa" Nō Play]
Surimono
A6531

287 豊原国周
乳母の真似をする子供
明治二三年
24.9×37.0

Toyohara Kunichika
Child Imitating a
Wet Nurse
1890/9
A30587

288 鳥居清長
(門松 さるわか)
文化元年
38.7×52.0
摺物

Torii Kiyonaga
[New Year's Decoration Pines
and Saruwaka]
1804
Surimono
A30371

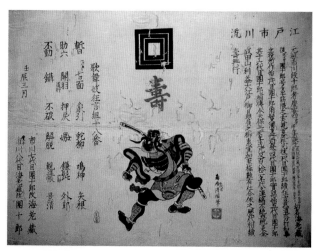

289 鳥居清峰 初代　**Torii Kiyomine I**
江戸市川流 歌舞伎狂言組十八番　Edo Ichikawa Lineage
天保三年　Kabuki Kyōgen Number Eighteen
42.2×56.7　1832
摺物　Surimono　　　　A30392

290 鳥居清峰 初代　**Torii Kiyomine I**
（三枡海老の宝船）　[Shrimp Treasure Ship with
41.8×56.0　　Concentric Square Crest]
摺物　Surimono
　　　　A6530

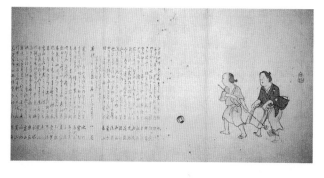

291 永島春暁　**Nagashima Shungyō**
第三回内国勧業博覧会之図　The Third National Industrial
明治二三年　　Exhibition
37.0×48.5　1890
　　　　A34164・5

292 長山孔直　**Nagayama Kōchoku**
（庭掃除）　[Garden Cleanup]
20.0×39.9　Surimono
摺物
　　　　A27316

293 （名取春仙）　**Natori Shunsen**
大日本帝国銀婚御式之図　The Silver Wedding
石版　　of the Meiji Emperor
29.1×40.3　Lithograph
　　　　A29392

0294 南岱　**Nantai**
（五色の糸）　[Five Colored Spools]
19.0×19.0　Surimono
摺物
　　　　A27337

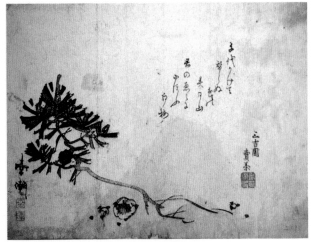

295　南潮　　　　　　　　**Nanchō**
（小松に梅花）　　　　[Small Pine and
18.5×24.9　　　　　　　Plum Blossoms]
摺物　　　　　　　　　Surimono

A28012

296　橋本周延　　　　　**Hashimoto Chikanobu**
日本名女話　　　　　　Nihon meijo banashi
清水上野守つま　　　　The Wife of Lord
明治二六年　　　　　　　Shimizu Kozuke
35.7×48.9　　　　1893　　A30504/05

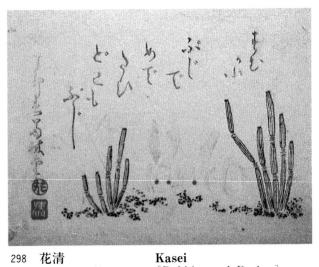

297　長谷川貞信　二代　**Hasegawa Sadanobu II**
（雁の文使い）　　　　[Messenger Geese]
44.2×57.7　　　　　　Surimono
摺物

A30390

298　花清　　　　　　　**Kasei**
（とくさと兎）　　　　[Rabbits and Rushes]
10.4×13.7　　　　　　Egoyomi
絵暦

A30459

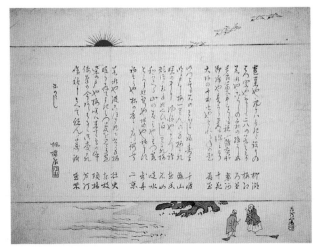

299　花乃舎　　　　　　**Hananoya**
（高砂）　　　　　　　[Takasago]
21.9×28.6　　　　　　Surimono
摺物

A27344

300　花乃舎　　　　　　**Hananoya**
（柳に鶯）　　　　　　[Nightingale and Willow]
14.6×29.1　　　　　　Surimono
摺物

A30301

301　原田圭岳　**Harada Keigaku**
（牛に牧童）　［Herdboy on a Bull］
23.6×30.3　Surimono
摺物
　　　　　　　　A28702

303　梅堂　**Baidō**
（茄子と胡瓜）　［Eggplants and
14.6×19.1　　　Cucumbers］
摺物　Surimono
　　　　　　　　A27836

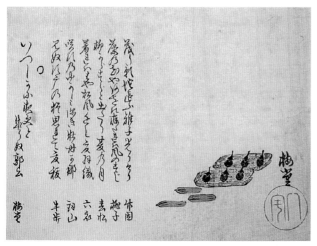

305　楓湖敬忠　**Fūko Takatada**
（天の岩戸）　［The Gate of the
33.0×45.5　　Celestial Rock Cave］

　　　　　　　　A29373

302　原田圭岳　**Harada Keigaku**
（大根）　［Radishes］
12.9×17.9　Surimono
摺物
　　　　　　　　A27290

304　梅堂小国政　**Baidō Kokunimasa**
春遊　電話の糸引　Spring Pastimes:
明治二六年　　Telephoning by Pulling Strings
21.5×37.1　1893/11
細工絵　**Saiku-e**　A29368

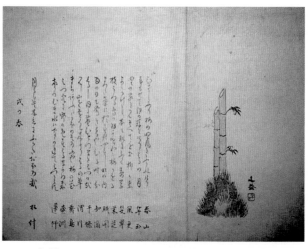

306　文益　**Bun'eki**
（初飾り）　［New Year's Decoration］
20.3×27.1　Surimono
摺物
　　　　　　　　A27817

52

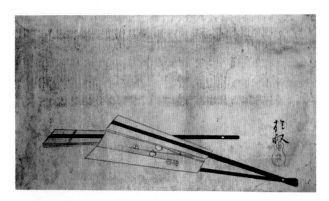

307　抱叔　　　　　**Hōshuku**
（扇子）　　　　　[Folding Fans]
18.8×33.3　　　　Surimono
摺物
　　　　　　　A29064

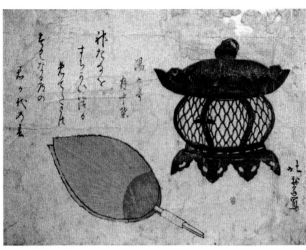

308　抱亭北鵞　　　**Hōtei Hokuga**
（釣燈籠と団扇）　　[Hanging Lantern and
13.4×18.2　　　　　Round Fan]
摺物　　　　　　　Surimono
　　　　　　　A6528

309　松川半山　　　**Matsukawa Hanzan**
（放鳥）　　　　　[Setting a Bird Free]
17.7×24.1　　　　Surimono
摺物
　　　　　　　A30303

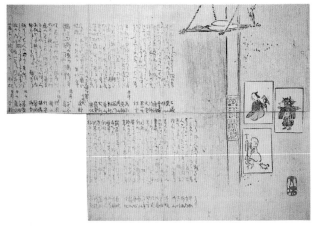

310　丸山大塊　　　**Maruyama Daikai**
（壁飾り）　　　　[Wall Decoration]
25.6×36.9　　　　Surimono
摺物
　　　　　　　A27236

311　水野年方　　　**Mizuno Toshikata**
今様美人　　　　　Imayō bijin
八（仲秋の名月）　 Eight [Mid-Autumn Moon]
24.7×37.0
　　　　　　　A29381

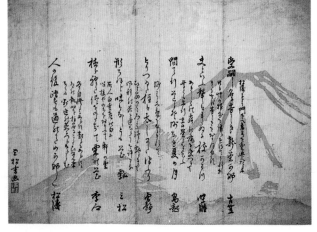

312　三松　　　　　**Mimatsu**
（富士）　　　　　[Mt. Fuji]
27.9×37.5　　　　Surimono
摺物
　　　　　　　A27991

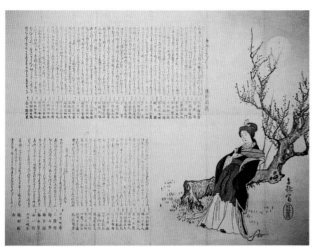

313　**無極斎**　　　　　**Mukyokusai**
（唐風美人立姿）　　　[Standing Chinese-style
39.2×52.5　　　　　　Beauty]
摺物　　　　　　　　Surimono
　　　　　　　　　　　　　　　　A6524

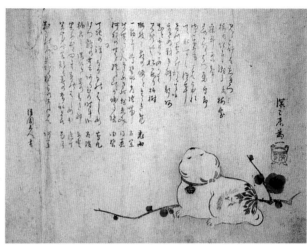

314　**溟々居為一**　　　**Meimeikyo Iitsu**
（猫の置物に梅）　　　[Cat Figurine and
19.0×24.6　　　　　　Plum Blossoms]
摺物　　　　　　　　Surimono
　　　　　　　　　　　　　　　　A27731

315　**盛川松宣**　　　　**Morikawa Matsunobu**
（大黒に絵馬）　　　　[Daikoku and
10.4×13.3　　　　　　Votive Placque]
摺物　　　　　　　　Surimono
　　　　　　　　　　　　　　　　A30292

316　**守村抱儀**　　　　**Morimura Hōgi**
（燕と松に藤）　　　　[Swallow, Pine, and
13.3×31.7　　　　　　Wisteria]
摺物　　　　　　　　Surimono
　　　　　　　　　　　　　　　　A29063

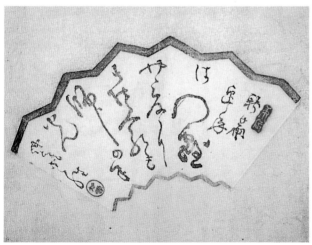

317　**夜雪**　　　　　　**Yasetsu**
（句扇）　　　　　　　[Folding Fan Inscribed
13.9×18.8　　　　　　with a Haiku]
摺物　　　　　　　　Surimono
　　　　　　　　　　　　　　　　A27529

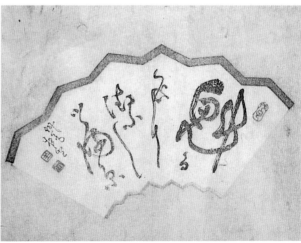

0318　**夜雪**　　　　　**Yasetsu**
（句扇）　　　　　　　[Folding Fan Inscribed
13.3×18.2　　　　　　with a Haiku]
摺物　　　　　　　　Surimono
　　　　　　　　　　　　　　　　A27531

54

319 柳川重信 初代　　**Yanagawa Shigenobu I**
（東海道）　　　　［Tōkaidō］
原　　　　　　　　Hara
11.4×16.8

A33743

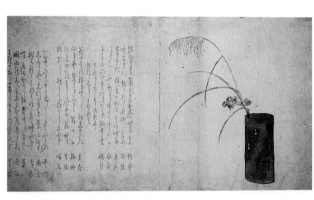

320 山形素真　　　**Yamagata Soshin**
（筒に秋草）　　　［Autumn Grasses
21.9×38.5　　　　　in Cylinder Vase］
摺物　　　　　　　Surimono

A27803

321 山形素真　　　**Yamagata Soshin**
（鋏と碗）　　　　［Shears and Bowl］
19.6×27.4　　　　Surimono
摺物

A27282

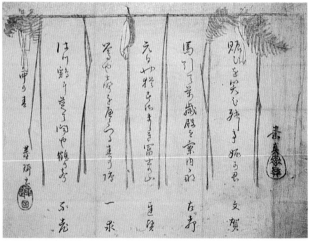

322 山形素真　　　**Yamagata Soshin**
（注連飾）　　　　［Sacred Staw Festoons］
18.3×20.0　　　　Surimono
摺物

A27248

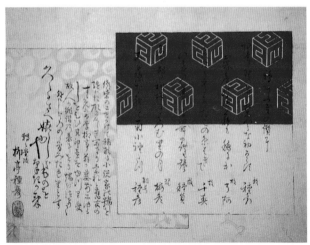

323 柳亭種彦　　　**Ryūtei Tanehiko**
（源氏香）　　　　［Genji Crest Designs］
18.8×23.0　　　　Surimono
摺物

A27847

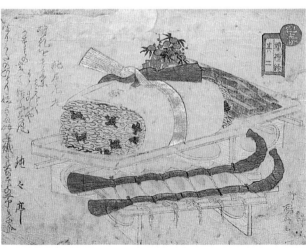

324 柳々居辰斎　　**Ryūryūkyo Shinsai**
巳春婚礼続　　　Minoharu konrei tsuzuki
其二　　　　　　Number Two
14.1×18.8　　　　Surimono
摺物

A30053

325　柳々居辰斎　**Ryūryūkyo Shinsai**
（高砂）　［Takasago］
13.3×18.5　Surimono
摺物

A30448

326　柳々居辰斎　**Ryūryūkyo Shinsai**
（冠と狩衣）　［Courtier's Costume］
14.1×17.6　Surimono
摺物

A30054

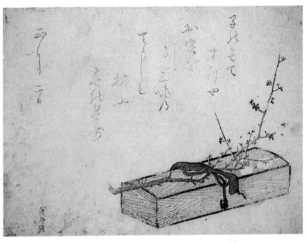

327　柳々居辰斎　**Ryūryūkyo Shinsai**
（松竹梅の扇面）　［Folding Fan with Design of
14.4×18.9　　Pine, Bamboo, and Plum］
摺物　Surimono

A30312

328　柳々居辰斎　**Ryūryūkyo Shinsai**
（祝箱に梅花）　［Box Decorated with
15.5×21.3　　a Plum Branch］
摺物　Surimono

A30299

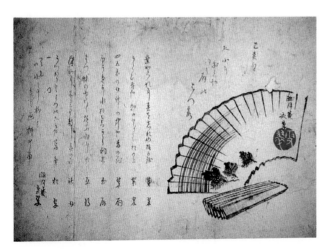

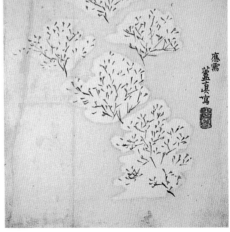

329　朧月庵　**Rōgetsuan**
（扇）　［Folding Fans］
19.1×27.0　Surimono
摺物

A27734

330　蘆真　**Roshin**
（積雪樹木）　［Snow-covered Trees］
19.4×19.0　Surimono
摺物

A28022

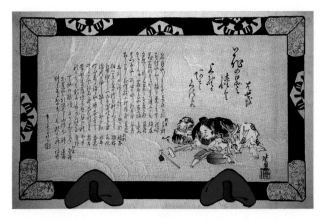

331　不詳　　　　　　　　**Unidentified**
（鑿研ぎの絵馬）　　　［Votive Placque with a
22.1×34.0　　　　　　　Man Sharpening a
　　　　　　　　　　　　Chisel］
　　　　　　　　　　　　　　　　　　A29134

332　不詳　　　　　　　　**Unidentified**
（面と衣装）　　　　　　［Mask］
14.8×28.8　　　　　　Surimono
摺物
　　　　　　　　　　　　　　　　　　A30302

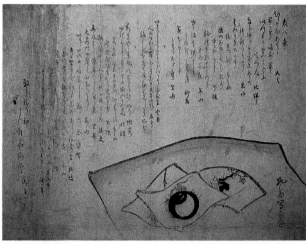

333　不詳　　　　　　　　**Unidentified**
（祝の包）　　　　　　　［Gifts］
安政五年　　　　　　　1858
19.6×26.5　　　　　　Surimono
摺物
　　　　　　　　　　　　　　　　　　A28713

334　不詳　　　　　　　　**Unidentified**
（春駒）　　　　　　　　［Hobby Horses］
19.7×41.6　　　　　　Surimono
摺物
　　　　　　　　　　　　　　　　　　A27040

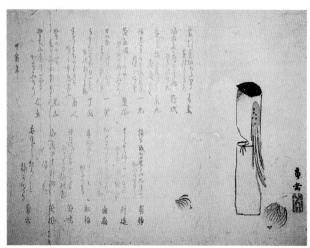

335　不詳　　　　　　　　**Unidentified**
（木彫の鳥）　　　　　　［Carved Wooden Bird］
19.6×26.8　　　　　　Surimono
摺物
　　　　　　　　　　　　　　　　　　A27760

336　不詳　　　　　　　　**Unidentified**
（宝珠）　　　　　　　　［Magic Jewel］
18.7×25.9　　　　　　Surimono
摺物
　　　　　　　　　　　　　　　　　　A27737

337 不詳
（鶴の親子）
16.7×19.8
摺物

Unidentified
[Cranes]
Surimono

A29087

338 無款
布袋さん唐子遊
35.5×49.2

Anonymous
Hotei Playing
with Children

A29480/81

339 無款
子供あそび
さつきの戯
35.5×48.2

Anonymous
Children Playing:
Mischief on Boy's Day

A29488/89

340 無款
妖狐伝
35.6×49.4

Anonymous
Legends of Magical Foxes

A29472/73

341 無款
日蓮宗一向宗法論之図
35.5×49.5

Anonymous
Doctrines of the Nichiren
and Jōdo Shin Sects

A29470/71

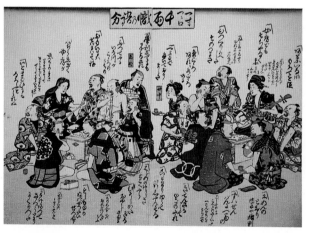

342 無款
一寸一ト口千両幟乃語り分
35.5×50.1

Anonymous
Each Sings One Phrase
from the Senryō Nobori Song

A29466/67

343 **無款**
当世ごまのお萩
35.6×48.7

Anonymous
Rice Dumplings
Covered with Goma

A29460/61

344 **無款**
当り籠講母子の寿会
35.6×49.2

Anonymous
Lottery Game

A29456/57

345 **無款**
当時物輪集会
35.6×50.1

Anonymous
Gathering of People
About Various Things

A29454/55

346 **無款**
官金取立寄合
35.3×48.2

Anonymous
Meeting for
Collecting Funds

A2610/11

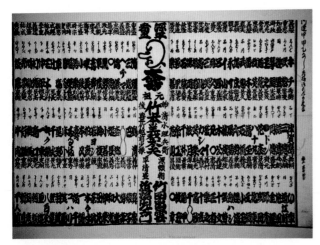

347 **無款**
源平者立すまふの大寄
墨摺
33.4×51.2

Anonymous
Mitate on List of
Rival Sumō Wrestlers
Sumizuri

A29013

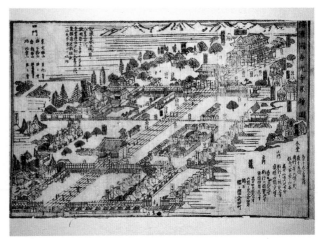

348 **無款**
信濃国善光寺略絵図
河童摺
18.3×29.6

Anonymous
Map of Zenkōji, Shinano
Kappazuri

A26881

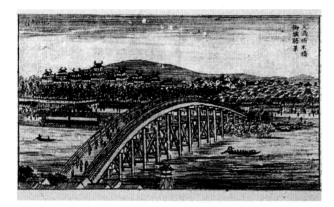

349　無款
天満橋末橋御城勝景
銅版
7.1×12.5

Anonymous
View of the Tenma
　Bridge Terminus
Copperplate engraving
A27229

350　無款
四条川原夕涼
銅版
7.4×12.4

Anonymous
Enjoying the Evening Cool
　Along the Shijō River
Copperplate engraving
A27269

351　無款
菊細工生人形忠臣蔵雪月花
大道具大仕掛
明治四二年
墨摺　39.2×54.3

Anonymous
Scenes from Chūshingura
1909/10
Sumizuri
A29394

352　無款
(雪中の訪問)
22.0×34.0

Anonymous
[Visiting in the Snow]

A4386

353　無款
(十二段草子)
22.5×33.2

Anonymous
[Jūnidan zōshi]

354　無款
(子共川遊)
23.7×35.5

Anonymous
[Playing in the River]

A4379

A4370

355 　無款
（品川大木戸）
22.4×34.3

Anonymous
[Shinagawa Checkpoint]

A4388

356 　無款
（菊児童）
23.8×36.7

Anonymous
[Chrysanthemum Boy Deity]

A4369

357 　無款
（唐子雪遊）
21.8×35.4

Anonymous
[Children Playing
in the Snow]

A4355

358 　無款
（見立草刈り山路）
21.6×35.6

Anonymous
[Mitate of Cutting Grass
on a Mountain Path]

A4357

359 　無款
（汐干狩）
22.1×34.2

Anonymous
[Gathering Shellfish
at Low Tide]

A30428

360 　無款
（正月の楽しみ）
天保二年
10.4×15.6

Anonymous
[New Year's Pleasures]
1831

A27855

361　無款
（江戸浮世絵美人揃）
38.5×50.2

Anonymous
[Selection of Edo
　Ukiyo-e Beauties]

A30354

362　無款
（お狐さま）
36.4×49.2

Anonymous
[Fox]

A29801/02

363　無款
（鳥尽し）
36.5×48.5

Anonymous
[Men as Various Kinds
　of Birds]

A29799/800

364　無款
（講談師賤丸）
35.0×50.5

Anonymous
[The Storyteller Senmaru]

A29468/69

365　無款
（料理屋の店先）
35.5×49.1

Anonymous
[The Front of
　a Restaurant]

A29458/59

366　無款
（茶摘に富士）
30.8×43.2

Anonymous
[Tea Pickers and
　Mount Fuji]

A27338

367 無款　**Anonymous**
（蓮にトンボ）　[Lotus Flower
24.7×33.0　　　　and Dragonfly]

A30367

368 無款　**Anonymous**
（朝鮮通信使）　[Korean Envoys]
河童摺　Kappazuri
10.7×

A28768/27311

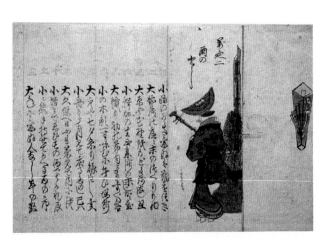

369 無款　**Anonymous**
（門附）　[Wandering Minstral]
文久元年　1861
12.5×18.8
絵暦　Egoyomi

A27754

370 無款　**Anonymous**
（大黒と吉祥天）　[Daikoku and Kisshōten]
安政四年　1857
14.3×16.9
絵暦　Egoyomi

A27655

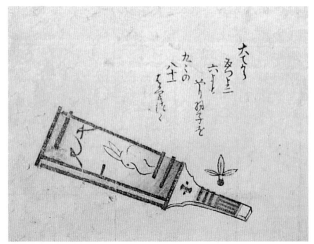

371 無款　**Anonymous**
（羽子板に羽）　[Battledore and
11.4×15.8　　　　Shuttlecock]
絵暦　Egoyomi

A27689

372 無款　**Anonymous**
（布袋に宝珠）　[Hotei and Magic Jewels]
安政元年　1854
13.6×19.3
絵暦　Egoyomi

A27672

63

373　無款
中村勘三郎相続状
嘉永三年
37.8×51.1
摺物

Anonymous
［Announcement of the Succession
　of Nakamura Kanzaburō］
1850
Surimono　　　　　　A30372

374　無款
（虎皮の袋）
14.0×18.7
摺物

Anonymous
［Tigerskin Pouch］
Surimono

　　　　　　A30313

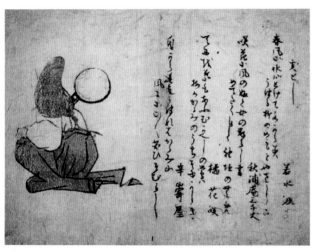

375　無款
（後鏡）
13.0×17.9
摺物

Anonymous
［Back View of Woman
　Looking Into a Mirror］
Surimono
　　　　　　A27864

376　無款
（鼎談図）
31.8×36.4
摺物

Anonymous
［A Trio in Conversation］
Surimono

　　　　　　A30391

377　無款
（朝日に鶴）
32.4×46.1
摺物

Anonymous
［Crane and Morning Sun］
Surimono

　　　　　　A30375

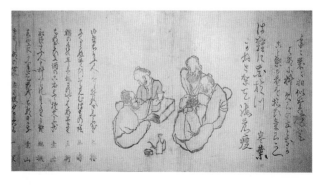

378　無款
（酒盛）
20.7×39.8
摺物

Anonymous
［Drinking Party］
Surimono

　　　　　　A27739

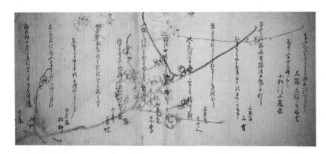

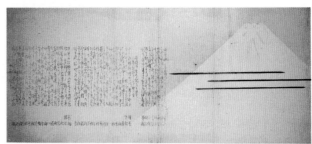

379 **無款** （梅花） 17.0×38.8 摺物	**Anonymous** [Plum Blossoms] Surimono

A28021

380 **無款** （富士） 19.0×40.2 摺物	**Anonymous** [Mt. Fuji] Surimono

A28988

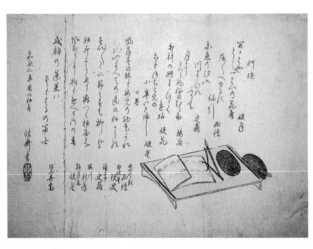

381 **無款** （文台） 19.5×27.3 摺物	**Anonymous** [Writing Desk] Surimono

A27745

382 **無款** （煙草盆） 16.6×20.3 摺物	**Anonymous** [Tobacco Tray] Surimono

A27725

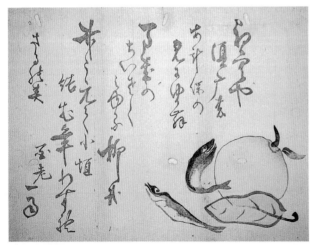

383 **無款** （果実に小魚） 20.0×26.0 摺物	**Anonymous** [Fruit and Small Fish] Surimono

A27804

384 **無款** （舟に梵鐘） 18.3×23.2 摺物	**Anonymous** [Temple Bell in a Boat] Surimono

A27787

385 **無款**
（飯櫃に紅梅）
32.3×36.2
摺物

Anonymous
［Food Boxes and Red
Plum Blossoms］
Surimono

A30380

386 **無款**
福神貨幣世界単騎旅行之図
石版
35.0×47.8

Anonymous
［Mitate of the God of
Good Fortune Riding on
a Horse］
Lithograph

A19029

387 **無款**
（朝日に帆船）
石版
35.1×48.8

Anonymous
［Ships and
the Rising Sun］
Lithograph

A19032

388 **無款**
（祝状見本）
石版
35.1×50.0

Anonymous
［Modelbook for
Congratulatory Cards］
Lithograph

A19031

389 **無款**
（福助）
石版
35.2×50.2

Anonymous
［Fukusuke］
Lithograph

A19025

390 **無款**
（芍薬）
石版
35.0×49.8

Anonymous
［Peonies］
Lithograph

A19028

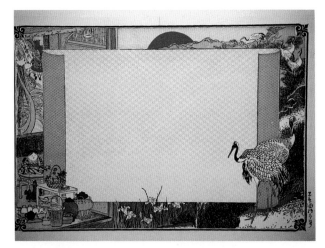

391　無款
（朝日に鶴）
石版
35.2×48.2

Anonymous
[Cranes and the
Rising Sun]
Lithograph

A19027

392　無款
鳥羽画巻物之内
屁合戦
35.8×48.6
二枚続

Anonymous
Toba-e Handscroll:
Farting Contest
Diptych

A29570/71

393　無款
当盛茶ばん狂言
約35.6×約24.7
二枚続

Anonymous
Comical Kyōgen
of the Present Day
Diptych

A29476/2614

394　無款
大禁じ
36.4×48.3
二枚続

Anonymous
Making Coins from a
Temple Bell
Diptych

A29720・1

395　無款
（中村歌右衛門涅槃図）
35.8×49.6
二枚続

Anonymous
[Nakamura Utaemon in Parody
of the Buddha's Death Scene]
Diptych

A29566/67

396　無款
（勧進帳）
明治二六年
37.3×48.4
三枚続の二枚

Anonymous
[Kanjinchō]
1893
Two of a triptych

A34175・6

左 397 相沢石湖
（鼓と裃）
20.3×18.5
摺物

Aizawa Sekko
[Drum and
  Ceremonial Dress]
Surimono

A30056

右 398 秋人小丸
（借金取）
35.5×25.1
二枚続の一枚

Akihito Komaru
[Collecting Debts]
One of a diptych

A29443

左 399 安達吟光
大日本史略図会
五十七・五十八
明治十八年
37.5×25.2

Adachi Ginkō
Dai Nippon shiryaku zue
Fifty-seven/Fifty-eight
1885/12/8

A30353

右 400 安達吟光
大日本史略図会
九十五・九十六
明治十八年
35.4×24.5

Adachi Ginkō
Dai Nippon shiryaku zue
Ninety-five/Ninety-six
1885/12/8

A4102

左 401 飯島光峨
（蛙）
23.5×14.5

Iijima Kōga
[Frog]

A29092

右 402 一丘
（熨鮑）
20.2×18.1
摺物

Ikkyū
[New Year's
  Noshiawabi Decoration]
Surimono

A28002

左 403 一蕙
（俳画）
21.8×15.2

Ikkei
［Haiga］

A27732

右 404 磯田湖龍斎
風流南海八景
村田ノ夕照
24.6×19.0

Isoda Koryūsai
Fūryū Nankai hakkei
Sunset at Murata

A33713

左 405 磯野文斎
（酔人）
墨摺
31.4×14.5

Isono Bunsai
［Drunken Man］
Sumizuri

A27259

右 406 一楽亭栄水
玉や内 花紫
寛政末
32.7×22.2

Ichirakutei Eisui
Hanamurasaki
of Tamaya
ca. 1797-1800

A868

左 407 岩瀬京水
（巻物）
25.2×16.3
摺物

Iwase Kyōsui
［Handscroll］
Surimono

A27307

右 408 歌川国貞 初代
男達本町綱五郎
35.9×24.7

Utagawa Kunisada I
Otokodate Honchō
Tsunagorō

93214

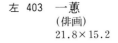

左 409　歌川国貞 初代
賤女およし
37.5×25.5

Utagawa Kunisada I
The Low-Class Woman
　Oyoshi

A30487

右 410　歌川国貞 初代
舎人桜丸 三枡源之助
36.1×24.4

Utagawa Kunisada I
Mimasu Gennosuke
　in the Role of
　　Toneri Sakuramaru

A34121

左 411　歌川国貞 初代
千嶋の冠者 三枡源之助
36.2×24.6

Utagawa Kunisada I
Mimasu Gennosuke
　in the Role of
　　Chishima no Kaja

A34122

右 412　歌川国貞 初代
三人形之内男舞
　下り中むら歌右衛門
36.2×24.9

Utagawa Kunisada I
Nakamura Utaemon
　Appearing in Osaka
　in the Otokomae Role
　in the Sanningyō Dance
A34124

左 413　歌川国貞 初代
猪王山森右衛門
36.2×25.0

Utagawa Kunisada I
Iōzan Moriemon

A29821

右 414　歌川国貞 初代
大星由良之助
　市川海老蔵
35.6×24.7

Utagawa Kunisada I
Ichikawa Ebizō
　in the Role of
　　Ōboshi Yuranosuke

A33729

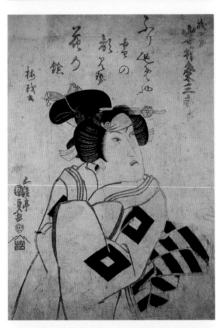

左 415　歌川国貞 初代
祐経 嵐吉三郎
35.3×24.5

Utagawa Kunisada I
Arashi Kichisaburō
in the Role of
Suketsune

A33582

右 416　歌川国貞 初代
与次郎兵衛 三枡森蔵、
　たいこもち百助 中村芝蔵
34.3×23.8

Utagawa Kunisada I
Mimasu Morizō in the Role
of Yojirōbei/Nakamura
Shibazō in the Role of
Taikomochi Momosuke

A28436

左 417　歌川国貞 初代
朝がほ仙平
　坂東三津右衛門
35.6×25.5

Utagawa Kunisada I
Bandō Mitsuemon
in the Role of
Asagao Senbei

A29009

右 418　歌川国貞 初代
賤の方 岩井粂三郎
36.0×25.2

Utagawa Kunisada I
Iwai Kumesaburō
in the Role of
Shizunokata

A29003

左 419　歌川国貞 初代
菱川師宣が昔絵風俗
36.8×26.2

Utagawa Kunisada I
Imitation of Hishikawa
Moronobu's Genre
Painting

A30579

右 420　歌川国貞 初代
春遊 黒木売のまねび
35.4×25.2

Utagawa Kunisada I
The Springtime
Amusement of
Imitating a
Wood-seller

A29632

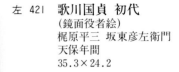

左 421 歌川国貞 初代
（鏡面役者絵）
梶原平三 坂東彦左衛門
天保年間
35.3×24.2

Utagawa Kunisada I
［Kyōmen yakusha-e］
Bandō Hikozaemon in the
　Role of Kajiwara Heizō
ca. 1830-40　　A28576

右 422 歌川国貞 初代
雲龍久吉
36.4×24.9

Utagawa Kunisada I
Unryū Hisakichi

A29823

左 423 歌川国貞 初代
雲龍
安政五年
37.6×25.8

Utagawa Kunisada I
Unryū
1858/5

A34107

右 424 歌川国貞 初代
（雪合戦を見る光氏）
35.8×25.0

Utagawa Kunisada I
［Mitsuuji Watching
　a Snowball Fight］

A33894

左 425 歌川国貞 初代
（鉢植と美人）
36.8×24.5

Utagawa Kunisada I
［Beauties and
　Potted Plants］

A34067

右 426 歌川国貞 初代
（蛍狩）
36.4×24.1

Utagawa Kunisada I
［Catching Fireflies］

A34266

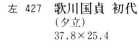

左 427　歌川国貞 初代
（夕立）
37.8×25.4

Utagawa Kunisada I
[Downpour]

A30430

右 428　歌川国貞 初代
（茸狩）
37.4×26.0

Utagawa Kunisada I
[Gathering Mushrooms]

A30561

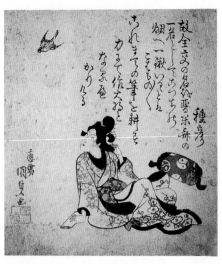

左 429　歌川国貞 初代
（見立八橋）
36.5×24.7
Utagawa Kunisada I
[Mitate of Yatsuhashi]

A29767

右 430　歌川国貞 初代
（時鳥と元禄美人）
19.2×17.0
摺物

Utagawa Kunisada I
[Genroku-era Beauty
　and Cuckoo]
Surimono

A27551

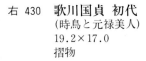

左 431　歌川国貞 初代
（茶店の光氏）
文久三年
35.4×24.4

Utagawa Kunisada I
[Mitsuuji at
　a Teahouse]
1863/4

A4091

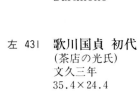

右 432　歌川国貞 初代
東海道之内
大磯
32.5×21.9

Utagawa Kunisada I
Tōkaidō no uchi
Ōiso

A3279

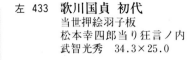

左 433 歌川国貞 初代
当世押絵羽子板
松本幸四郎当り狂言ノ内
武智光秀　34.3×25.0

Utagawa Kunisada I
Tōsei oshie hagoita
Successful Kyōgen of
　Matsumoto Kōshirō:
　Takechi Mitsuhide
　　　　　　A28942

右 434 歌川国貞 初代
当時高名会席尽
馬道　ふじ屋
35.6×25.3

Utagawa Kunisada I
Tōji kōmei kaiseki
　zukushi
Fujiya in Umamichi

　　　　　　A29607

左 435 歌川国貞 初代
江戸ノ富士十景之内
両国
35.3×23.9

Utagawa Kunisada I
Edo no Fuji jūkkei
　no uchi
Ryōgoku

　　　　　　A29620

左 436 歌川国貞 初代
美人傾城いろはたんか
へ 岡本屋内　長太夫
36.1×24.1

Utagawa Kunisada I
Bijin keisei iroha
　tanka
He: Chō Dayū
　of Okamotoya
　　　　　　A33730

左 437 歌川国貞 初代
見立白波六歌仙
偽ス黒主 石川五右衛門
37.1×25.0

Utagawa Kunisada I
Mitate Shiranami
　rokkasen
Ishikawa Goemon in
　the Role of
　Kuronushi　A34054

右 438 歌川国貞 初代
見立やみごろし
あまやみ 出村新兵衛
安政元年
36.4×25.8

Utagawa Kunisada I
Mitate yamigoroshi
Amayami: Idemura
　Shinbei
1854/12　　A33726

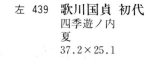

左 439　歌川国貞 初代
四季遊ノ内
夏
37.2×25.1

Utagawa Kunisada I
Shiki no asobi
　no uchi
Summer

A33728

右 440　歌川国貞 初代
婦人たしなみ草
（洗濯）
34.7×23.7

Utagawa Kunisada I
Fujin tashinami gusa
[Doing Laundry]

A29631

左 441　歌川国貞 初代
風流調子ぶえ
しのびこま
34.9×24.6

Utagawa Kunisada I
Fūryū chōshibue
Rendezvous

A29599

右 442　歌川国貞 初代
教訓植附垣根ノ中
兼好のつれづれ草
36.3×24.6

Utagawa Kunisada I
Kyōkun uetsuke
　kakine no uchi
Kenkō's
　Tsurezuregusa
A29814

左 443　歌川国貞 初代
教訓植附垣根ノ中
宿下りのたのしみ艸
36.4×25.0

Utagawa Kunisada I
Kyōkun uetsuke
　kakine no uchi
The Pleasure of
　a Short Leave
A29815

右 444　歌川国貞 初代
教訓植附垣根ノ中
繰数珠ハ世捨人の手引草
36.3×25.0

Utagawa Kunisada I
Kyōkun uesuke
　kakine no uchi
Saying the Rosary is
　the Way of
　　Hermits　　A29813

左 445 　歌川国貞 初代
梨園侠客伝
しら瀧の佐吉
36.5×25.2

Utagawa Kunisada I
Rien kyōkaku den
Sakichi of Shirataki

A29742

右 446 　歌川国貞 初代
梨園侠客伝
一寸徳兵衛
36.3×24.9

Utagawa Kunisada I
Rien kyōkaku den
Issun Tokubei

A92741

右 447 　歌川国貞 初代
月の陰忍び逢ふ夜
（忍び来る女）
35.5×25.0

Utagawa Kunisada I
Tsuki no kage
　shinobi au yoru
［Woman on a Secret
　Rendezvous］
A29602

右 448 　歌川国貞 初代
月の陰忍び逢ふ夜
（恋文を読む女）
35.4×25.1

Utagawa Kunisada I
Tsuki no kage
　shinobi au yoru
［Woman Reading
　a Love Letter］
A29606

左 449 　歌川国貞 初代
時世江戸鹿子
白銀の清正公
34.2×24.1

Utagawa Kunisada I
Jisei Edo kanoko
Seishōkō of Shirogane

A30558

右 450 　歌川国貞 初代
時世江戸鹿子
王子の稲荷
34.4×25.7

Utagawa Kunisada I
Jisei Edo kanoko
Inari of Ōji

A30559

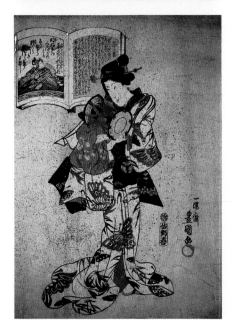

左 451　歌川国貞 初代
百人一首絵抄
三十六番 文屋朝康
35.4×24.9

Utagawa Kunisada I
Hyakunin isshu e shō
Thirty-six:
　Funya no Asayasu

A29625

右 452　歌川国貞 初代
百人一首絵抄
三十七番 壬生忠峯
35.5×24.6

Utagawa Kunisada I
Hyakunin isshu e shō
Thirty-seven:
　Mibu no Tadamine

A29624

左 453　歌川国貞 初代
（見立百人一首）
四十九番　源重之
35.4×25.1

Utagawa Kunisada I
[Mitate hyakunin
　isshu]
Forty-nine: Minamoto
　no Shigeyuki
A29627

右 454　歌川国貞 初代
（見立百人一首）
五十一番 藤原実方朝臣
35.3×25.3

Utagawa Kunisada I
[Mitate hyakunin
　isshu]
Fifty-one: Fujiwara
　no Sanekata
A29626

左 455　歌川国貞 初代
（見立百人一首）
五十二番 藤原道信朝臣
35.4×25.1

Utagawa Kunisada I
[Mitate hyakunin
　isshu]
Fifty-two: Fujiwara
　Michinobu
A29628

右 456　歌川国貞 初代
（見立百人一首）
五十五番 大納言公任
35.4×25.3

Utagawa Kunisada I
[Mitate hyakunin
　isshu]
Fifty-five:
　Dainagon Kintō
A29629

左 457 歌川国貞 初代
（見立百人一首）
九十八番　正三位家隆
35.8×25.1

Utagawa Kunisada I
[Mitate hyakunin
isshu]
Ninety-eight:
Shōsanmi Karyū

A34274

右 458 歌川国貞 初代
六佳選梅ノ難波津
男伊達鹿の子勘兵衛 中村芝翫
35.6×24.8

Utagawa Kunisada I
Rokkasen ume no naniwazu
Nakamura Shikan in the
Role of Otokodate
Kanoko Kanbei

A33576

左 459 歌川国貞 初代
六佳選梅ノ難波津
男伊達弁慶太左衛門 坂東彦三郎
35.4×24.3

Utagawa Kunisada I
Rokkasen ume no naniwazu
Bandō Hikosaburō in the
Role of Otokodate
Benkei Tazaemon

A33575

右 460 歌川国貞 初代
六佳選梅ノ難波津
男伊達絞の吉兵衛 中村歌右衛門
35.6×24.8

Utagawa Kunisada I
Rokkasen ume no naniwazu
Nakamura Utaemon in
the Role of Otokodate
Shibori no Kichibei

A33574

左 461 歌川国貞 初代
美人合十二月ノ内
睦月
36.0×24.6

Utagawa Kunisada I
Bijin awase jūni
tsuki no uchi
The First Month

A30572

右 462 歌川国貞 初代
美人合十二月ノ内
衣更着
35.9×24.8

Utagawa Kunisada I
Bijin awase jūni
tsuki no uchi
The Second Month

A30570

左 463　歌川国貞 初代
美人合十二月ノ内
皐月
36.0×24.6

Utagawa Kunisada I
Bijin awase jūni
　tsuki no uchi
The Fifth Month

　　　　　A30569

右 464　歌川国貞 初代
美人合十二月ノ内
水無月
36.0×24.6

Utagawa Kunisada I
Bijin awase jūni
　tsuki no uchi
The Sixth Month

　　　　　A30568

左 465　歌川国貞 初代・歌川広重 II
観音霊験記
西国巡礼第三番 渋川左太夫
35.6×24.5
**Utagawa Kunisada I/
Utagawa Hiroshige II**
Kannon reigen ki
Pilgrimage to Saigoku,
　Number Three:
　Shibukawa Sadayū
　　　　　A29609

右 466　歌川国貞 初代・歌川広重 II
観音霊験記
坂東巡礼第八番 見不知森
万延元年
35.4×23.3
**Utagawa Kunisada I/
Utagawa Hiroshige II**
Kannon reigen ki
Pilgrimage to Bandō, Number
　Eight: Unknown Forest
1860/12　　　　A4096

左 467　歌川国貞 初代・歌川広重 II
観音霊験記
坂東巡礼拾二番 慈覚大師
35.5×22.8

**Utagawa Kunisada I/
Utagawa Hiroshige II**
Kannon reigen ki
Pilgrimage to Bandō,
　Number Twelve:
　Priest Jikaku A4092

右 468　歌川国貞 初代・歌川広重 II
観音霊験記
西国巡礼十五番 御白河院
35.5×24.7
**Utagawa Kunisada I/
Utagawa Hiroshige II**
Kannon reigen ki
Pilgrimage to Saigoku,
　Number Fifteen:
　Goshirakawa no In
　　　　　A29608

左 469 　歌川国貞 初代・歌川広重 II
観音霊験記
西国巡礼二十七番 仲太小三郎
35.4×23.8
Utagawa Kunisada I/
Utagawa Hiroshige II
Kannon reigen ki
Pilgrimage to Saigoku,
Number Twenty-
seven: Chūta Kosaburō
A4094

右 470 　**歌川国貞 初代**
(菅原伝授手習鑑 車引き
五代目松本幸四郎の松王丸)
20.2×18.0
摺物
Utagawa Kunisada I
[Sugawara denju tenarai
kagami: Kurumabiki and
Matsumoto Koshirō V in
the Role of Matsuōmaru]
Surimono 　A30445

左 471 　**歌川国貞 初代**
(菅原伝授手習鑑 車引き
七代目市川団十郎の梅王丸)
20.6×18.1
摺物
Utagawa Kunisada I
[Sugawara denju tenarai
kagami: Ichikawa
Danjūrō VII in the Role
of Umeōmaru]
Surimono 　A30447

右 472 　**歌川国貞 初代**
(菅原伝授手習鑑 車引き
三代目尾上菊五郎の桜丸)
20.8×18.2
摺物
Utagawa Kunisada I
[Sugawara denju tenarai
kagami: Onoe Kikugorō III
in the Role of Sakuramaru]
Surimono

A30446

左 473 　**歌川国貞 初代**
(役者絵)
21.0×18.1
摺物

Utagawa Kunisada I
[Actor Print]
Surimono

A19272

右 474 　**歌川国貞 初代**
(役者絵)
20.8×18.0
摺物

Utagawa Kunisada I
[Actor Print]
Surimono

A19273

左 475 歌川国貞 初代
（役者絵）
20.5×18.5
摺物

Utagawa Kunisada I
［Actor Print］
Surimono

A19274

右 476 歌川国貞 初代
（役者絵）
21.0×18.5
摺物

Utagawa Kunisada I
［Actor Print］
Surimono

A19278

左 477 歌川国貞 初代
平治景高　中村芝翫
天保年間
36.0×24.6
三枚続の一枚
Utagawa Kunisada I
Nakamura Shikan in the
　Role of Heiji Kagetaka
ca. 1830-40
One of a triptych
A34123

右 478 歌川国貞 初代
梅川
36.1×24.5
三枚続の一枚

Utagawa Kunisada I
Umegawa
One of a triptych

A30580

左 479 歌川国貞 初代
（提灯と女）
35.1×23.9
三枚続の一枚

Utagawa Kunisada I
［Woman with
　Paper Lantern］
One of a triptych

A29761

右 480 歌川国貞 初代
（横笛を吹く光氏）
嘉永二〜三年
36.0×25.0
三枚続の一枚

Utagawa Kunisada I
［Mitsuuji Playing the Flute］
1849-50
One of a triptych
A33895

左 481　歌川国貞 初代
白縫譚 第六編
17.2×13.0
袋絵

Utagawa Kunisada I
Shiranui monogatari,
　Volume 6
Book cover

A27812

右 482　歌川国貞 二代
茂り山祢吉
36.4×25.1

Utagawa Kunisada II
Shigeriyama Yakichi

A29822

左 483　歌川国貞 二代
阿倍恭親　坂東亀蔵
37.5×25.3

Utagawa Kunisada II
Bandō Kamezō
　in the Role of
　Abe no Yasuchika

A30560

右 484　歌川国貞 二代
久留米　小野川才助
文久元年
36.2×25.0

Utagawa Kunisada II
Kurume Onogawa
　Saisuke
1861

A29824

左 485　歌川国貞 二代
大坂下り桜綱駒寿、桜綱幸吉
安政四年
35.3×24.4

Utagawa Kunisada II
Sakuratsuna Komaju and
　Sakuratsuna Kōkichi
　Appearing in Osaka
1857/2

A2634

右 486　歌川国貞 二代
（山増前の美人）
慶応三年
37.2×25.0

Utagawa Kunisada II
[Beauty in Front
　of Yamamasu]
1867/12

A34138

82

左 487 歌川国貞 二代
江戸の華美藝合
両国柳ばし 寿美
37.3×25.3

Utagawa Kunisada II
Edo no hana bigei
　awase
Sumi of Yanagibashi,
　Ryōgoku

　　　　A34139

右 488　歌川国貞 二代
誠忠義士伝之内
石堂馬之助 片岡我童
慶応元年
36.6×25.1

Utagawa Kunisada II
Seichū gishiden no uchi
Kataoka Gadō in the
　Role of Ishidō
　Umanosuke
1865/8　　A29740

左 489　歌川国貞 二代
近江八景之内
辛崎夜雨
嘉永二～三年
35.7×23.7

Utagawa Kunisada II
Ōmi hakkei no uchi
Night Rain at Karazaki
1849-50

　　　　A30555

右 490　歌川国貞 二代
（近江八景之内）
（辛崎夜雨）
嘉永二～三年
35.7×23.7

Utagawa Kunisada II
Ōmi hakkei no uchi
[Night Rain at Karazaki]
1849-50

　　　　A30556

左 491　歌川国貞 二代
（近江八景之内）
（辛崎夜雨）
嘉永二～三年
35.7×23.7

Utagawa Kunisada II
Ōmi hakkei no uchi
[Night Rain at Karazaki]
1849-50

　　　　A30557

右 492　歌川国貞 二代
紫式部げんじかるた
三十四　若菜上
35.6×24.5

Utagawa Kunisada II
Murasaki Shikibu Genji karuta
Thirty-four: Wakana I
　(New Herbs)
1857/10

　　　　A30499

左 493　歌川国貞 二代
紫式部源氏かるた
五十三　手習
35.8×25.0

Utagawa Kunisada II
Murasaki Shikibu
　Genji karuta
Fifty-three:
　Practicing

A33893

右 494　歌川国貞 二代
東海道名所之内
小夜中山
32.6×21.9

Utagawa Kunisada II
Tōkaidō meisho
　no uchi
Sayo no Nakayama

A3277

左 495　歌川国貞 二代
東海道名所之内
宇治
32.8×22.2

Utagawa Kunisada II
Tōkaidō meisho
　no uchi
Uji

A3275

右 496　歌川国貞 二代・歌川広重 二代
俤源氏五十四帖
三十五　若菜下
35.6×25.0

Utagawa Kunisada II/
Utagawa Hiroshige II
Omokage Genji Gojūyonjō
Thirty-five: Wakana II
　(New Herbs)

A29610

左 497　歌川国貞 二代・歌川広重 二代
俤げんじ五十四帖
五十二　蜻蛉
35.6×25.0

Utagawa Kunisada II/
Utagawa Hiroshige II
Omokage Genji Gojūyonjō
Fifty-two: Kagerō
　(The Drake Fly)

A29611

右 498　歌川国貞 二代・歌川広重 二代
観音霊験記
秩父巡礼第四番　荒木丹下
35.4×23.4

Utagawa Kunisada II/
Utagawa Hiroshige II
Kannon reigen ki
Pilgrimage to Chichibu,
　Number Four: Araki Tange

A4095

左 499 歌川国貞 二代・歌川広重 二代
観音霊験記
秩父巡礼十三番 火災の利益
35.4×23.2

**Utagawa Kunisada II/
Utagawa Hiroshige II**
Kannon reigen ki
Pilgrimage to Chichibu,
　Number Thirteen:
　Preventing Fires

A4093

右 500 歌川国貞 三代
露国征伐戦勝笑話
醜体の解剖
36.9×24.9

Utagawa Kunisada III
Rokoku seibatsu
　senshō shōwa
Dissection of an
　Unsightly Corpse

A29136

左 501 歌川国郷
花盛東姿ゑ
（御手洗）
35.4×24.7

Utagawa Kunisato
Hanazakari Azuma
　sugata e
［Purification Ritual］

A29597

右 502 歌川国輝 初代
土手のお六 坂東彦三郎
37.2×24.9

Utagawa Kuniteru I
Bandō Hikosaburō
　in the Role of
　Dote no Oroku

A30590

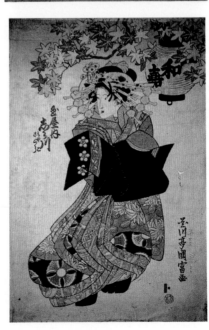

左 503 歌川国輝 初代
鬼もん喜兵衛 河原崎権十郎
37.1×25.3

Utagawa Kuniteru I
Kawaharazaki
　Gonjūrō in the Role
　of Kimon Kihei

A30589

右 504 歌川国富 初代
玉屋内 しら川
38.2×26.0

Utagawa Kunitomi I
Shirakawa of
　Tamaya

A30485

左 505　歌川国麿 初代
於竹大日如来の由来
35.5×24.7

Utagawa Kunimaro I
The Origin of Otake
　Dainichi Nyorai

A29596

右 506　歌川国安 初代
（三味線箱と芸者）
35.4×25.1

Utagawa Kuniyasu I
［Geisha with
　a Shamisen Box］

A29598

左 507　歌川国安 初代
傾城見立八景
丸海老屋内 江川
文政後期
36.3×24.4

Utagawa Kuniyasu
Keisei mitate hakkei
Egawa of Maruebiya
ca. late 1820s
A33733

右 508　歌川国安 初代
見立江戸名所五番続
二丁町
34.5×23.4

Utagawa Kuniyasu I
Mitate Edo meisho
　goban tsuzuki
Nichō-machi

A29622

左 509　歌川国安 初代
（役者絵）
20.8×18.0
摺物

Utagawa Kuniyasu I
［Actor Print］
Surimono

A19275

右 510　歌川国芳
源頼光
文政年間
35.2×23.5

Utagawa Kuniyoshi
Minamoto no Raikō
ca. 1820S

A2601

左 511 **歌川国芳**
源三位頼政
35.1×24.2

Utagawa Kuniyoshi
Minamoto no Yorimasa

A30009

右 512 **歌川国芳**
俊寛僧都
34.3×25.2

Utagawa Kuniyoshi
Priest Shunkan

A34135

左 513 **歌川国芳**
東金茂右衛門
36.7×25.4

Utagawa Kuniyoshi
Tōgane Mouemon

A32129

右 514 **歌川国芳**
浮世又平名画奇特
34.2×23.2

Utagawa Kuniyoshi
Celebrated Paintings
by Matabei of the
Floating World

A33899

左 515 **歌川国芳**
手代清七 道具屋娘おうら
36.9×25.2

Utagawa Kuniyoshi
Tedai Seishichi with
Oura, Daughter of
a Furniture Shop

A30550

右 516 **歌川国芳**
当世流行見立
35.6×25.4

Utagawa Kuniyoshi
Fashionable Mitate
of the Present Day

A29445

左 517　歌川国芳
鯛の引き物
25.2×17.5

Utagawa Kuniyoshi
Tai (Sea Bream)
Pull-toy
ca. 1825-35

A27456

右 518　歌川国芳
（戯画六歌仙）
35.2×25.2

Utagawa Kuniyoshi
[Humorous Portrayal
of Six Immortal
Poets]

A2606

左 519　歌川国芳
（大津絵と国芳）
36.0×24.5

Utagawa Kuniyoshi
[Ōtsu-e and
Kuniyoshi]

A34137

右 520　歌川国芳
木曾街道六十九次之内
上松 江田源三
嘉永五年
35.2×24.8

Utagawa Kuniyoshi
Kisokaidō rokujūkyū
tsugi no uchi
Edagenzō at Uematsu
1852/7　　A2603

左 521　歌川国芳
燿武八景
石山暮雪 鈴木重幸
嘉永五年
36.1×24.7

Utagawa Kuniyoshi
Yōbu hakkei
Suzuki Shigeyuki in Ishiyama
on a Snowy Night
1852/7　　32128

右 522　歌川国芳
名高百勇伝
神功后皇
弘化年間
35.1×23.9

Utagawa Kuniyoshi
Meikō hyaku yū den
Empress Jingō
ca. 1844-47

A34132

左 523 歌川国芳
武田 上杉 川中嶋大合戦図
上杉謙信
35.6×24.5

Utagawa Kuniyoshi
Takeda Uesugi
 Kawanakajima
 daikassen zu
Uesugi Kenshin
A34136

右 524 歌川国芳
東都月の名所
品川の早月
35.4×23.9

Utagawa Kuniyoshi
Tōto tsuki no
 meisho
Crescent Moon
 at Shinagawa
A29618

左 525 歌川国芳
小倉擬百人一首
大中臣能宣朝臣
35.2×22.7

Utagawa Kuniyoshi
Ogura nazorae
 hyakunin isshu
Ōnakatomi no
 Yoshinobu
A2608

右 526 歌川国芳
浮世四十八癖
本を見るくせ
34.2×24.0

Utagawa Kuniyoshi
Ukiyo shijūhachi heki
The Custom of
 Reading Books
A29621

左 527 歌川国芳
風流子供踊り尽
さぎ娘
35.3×25.4

Utagawa Kuniyoshi
Fūryū kodomo odori
 zukushi
Sagimusume Dance
A29633

右 528 歌川国芳
青楼美人揃
岡本屋内 勝山
36.6×24.8

Utagawa Kuniyoshi
Seirō bijin zoroi
Katsuyama of
 Okamotoya
A30549

左 529 歌川国芳
武勇千柄草
箱王丸
36.4×25.3

Utagawa Kuniyoshi
Buyū chikara gusa
Hakoōmaru

A34048

右 530 歌川国芳
和漢準源氏
よこ笛 牛若丸
36.9×24.3

Utagawa Kuniyoshi
Wakan nazorae Genji
Ushiwakamaru
　Playing the Flute

A30552

左 531 歌川国芳
妙でんす 十六利勘
十 食乱損者
34.7×24.0

Utagawa Kuniyoshi
Myōdensu jūroku
　rikan
Ten: Priest Shokuran

A29619

右 532 歌川国芳
本朝武者鏡
白縫姫
安政二年
35.3×23.4

Utagawa Kuniyoshi
Honchō musha kagami
Shiranuihime
1855/5

A2624

左 533 歌川国芳
忠孝名誉奇人伝
山本勘助
34.8×23.5

Utagawa Kuniyoshi
Chūkō meiyo kijin
　den
Yamamoto Kansuke

A2600

右 534 歌川国芳
義経恋源一代鏡
三略伝 第二
33.9×22.7

Utagawa Kuniyoshi
Yoshitsune koi no
　Minamoto ichidai
　kagami
Sanryakuden No. Two

A2602

左 535 **歌川国芳**
源氏雲浮世画合
廿九 御幸
36.2×24.5

Utagawa Kuniyoshi
Genji kumo ukiyo
　e-awase
Twenty-nine:
　Imperial Visit
　　　　　A34133

右 536 **歌川国芳**
源氏雲浮世画合
五十四 夢の浮橋
37.6×25.6

Utagawa Kuniyoshi
Genji kumo ukiyo
　e-awase
Fifty-four: Floating
　Bridge of Dreams
　　　　　A30486

左 537 **歌川国芳**
為朝誉十傑
（海中の為朝）
弘化四年～嘉永五年
34.3×23.7
Utagawa Kuniyoshi
Tametomo homare no
　jikketsu
[Tametomo in the
　Sea]
ca. 1847-52　A2597

右 538 **歌川国芳**
為朝誉十傑
（幽霊と為朝）
34.6×24.1

Utagawa Kuniyoshi
Tametomo homare
　no jikketsu
[Ghost and
　Tametomo]
　　　　　A2599

左 539 **歌川国芳**
稚遊五節句之内
青陽
35.4×25.3

Utagawa Kuniyoshi
Osana asobi
　gosekku no uchi
Early Spring

　　　　　A29484

右 540 **歌川国芳**
稚遊五節句之内
端午
35.5×25.2

Utagawa Kuniyoshi
Osana asobi
　gosekku no uchi
Boy's Festival

　　　　　A29483

左 541 歌川国芳
稚遊五節句之内
七夕
35.5×25.2

Utagawa Kuniyoshi
Osana asobi
  gosekku no uchi
Star Festival

A29482

右 542 歌川国芳
絵鏡台見立三十木花撰
安部の保名 くずの葉
弘化年間
35.1×24.5
Utagawa Kuniyoshi
Ekyōdai mitate
  sanjūbokkasen
Abe no Yasuna and
  Kuzunoha
ca. 1844-47   A30007

左 543 歌川国芳
絵鏡台見立三十木花撰
おしゅん しらふぢ
35.0×25.0

Utagawa Kuniyoshi
Ekyōdai mitate
  sanjūbokkasen
Oshun and Shirafuji

A30008

右 544 歌川国芳
絵鏡台見立三十木花撰
忠兵衛 梅川
35.1×23.2

Utagawa Kuniyoshi
Ekyōdai mitate
  sanjūbokkasen
Chūbei and Umegawa

A30005

左 545 歌川国芳
絵鏡台見立三十木花撰
八重 さくら丸
35.1×24.6

Utagawa Kuniyoshi
Ekyōdai mitate
  sanjūbokkasen
Yae and Sakuramaru

A30006

右 546 歌川国芳
絵鏡台見立三十木花撰
白井権八 小むらさき
35.1×24.5

Utagawa Kuniyoshi
Ekyōdai mitate
  sanjūbokkasen
Shirai Gonpachi
  and Komurasaki

A30004

92

左 547　歌川国芳
美盾十二史
子 雪姫
弘化年間
35.1×24.3

Utagawa Kuniyoshi
Mitate jūnishi
Rat: Yukihime
ca. 1844-47

A30029

右 548　歌川国芳
美盾十二史
午 於美輪
35.1×24.6

Utagawa Kuniyoshi
Mitate jūnishi
Horse: Omiwa

A30023

左 549　歌川国芳
美盾十二史
寅 曽我十郎祐成
35.2×25.1

Utagawa Kuniyoshi
Mitate jūnishi
Tora (Tiger): Soga
　no Jūrō Sukenari

A30031

右 550　歌川国芳
美盾十二史
寅 貞君虎御前
35.3×25.2

Utagawa Kuniyoshi
Mitate jūnishi
Tora (Tiger):
　Teikun Toragozen

A30030

左 551　歌川国芳
美盾十二史
卯 足柄山の姥
35.1×24.1

Utagawa Kuniyoshi
Mitate jūnishi
U (Rabbit): Yamauba
of Ashigarayama

A30032

右 552　歌川国芳
美盾十二史
辰 辰夜叉姫
35.3×24.1

Utagawa Kuniyoshi
Mitate jūnishi
Tatsu (Dragon):
　Tatsuyashahime

A30033

左 553 歌川国芳
美盾十二史
巳 土手のお六
35.2×24.9

Utagawa Kuniyoshi
Mitate jūnishi
Mi (Snake):
　Dote no Oroku

　　　　　A30034

右 554 歌川国芳
美盾十二史
未 白木屋おこま
35.3×25.1

Utagawa Kuniyoshi
Mitate jūnishi
Hitsuji (Sheep):
　Shirakiya Okoma

　　　　　A30024

左 555 歌川国芳
美盾十二史
申 与次郎
35.3×24.6

Utagawa Kuniyoshi
Mitate jūnishi
Saru (Monkey): Yojirō

　　　　　A30025

右 556 歌川国芳
美盾十二史
酉 宿祢太郎
35.1×24.6

Utagawa Kuniyoshi
Mitate jūnishi
Tori (Bird):
　Sukune no Tarō

　　　　　A30026

左 557 歌川国芳
美盾十二史
戌 白井権八
35.2×25.0

Utagawa Kuniyoshi
Mitate jūnishi
Dog: Shirai Gonpachi

　　　　　A30027

右 558 歌川国芳
看盾十二史
戌 犬田小文吾
35.3×24.9

Utagawa Kuniyoshi
Mitate jūnishi
Dog: Inuta Kobungo

　　　　　A30028

左 559 歌川国芳
猪早太忠澄
弘化年間
35.2×23.9
三枚続の一枚

Utagawa Kuniyoshi
Inohayata Tadazumi
ca. 1844-47
One of a triptych
A30010

右 0560 歌川国芳
朝夷義秀雌雄鰐を捕ふ図
弘化年間
35.2×24.4
三枚続の一枚
Utagawa Kuniyoshi
Asahina Yoshihide
　Capturing a Crocodile
ca. 1844-47
One of a triptych
A2604

左 561 歌川国芳
(太平記)
篠塚伊賀守重広と栗生左衛門尉頼賢
天保年間
35.3×24.3　三枚続の一枚
Utagawa Kuniyoshi
[Taiheiki]
Shinozuka Iganokami
　Shigehiro and Kuryūzaemon
　no Jō Yorikata
One of a triptych　A34241

右 562 歌川国芳
風俗女水滸伝
20.7×18.1
摺物

Utagawa Kuniyoshi
Fūzoku onna
　suikoden
Surimono

A19270

左 563 歌川国芳
(美人に富士)
20.6×18.5
摺物

Utagawa Kuniyoshi
[Beauty and
　Mt. Fuji]
Surimono

A19264

右 564 歌川国芳・歌川芳鳥
誠忠義臣名々鏡
間瀬孫九郎正辰
35.2×23.9

**Utagawa Kuniyoshi/
Utagawa Yoshitori**
Seichū gishin meimei
　kagami
Mase Magokurō
　Masatoki
A2607

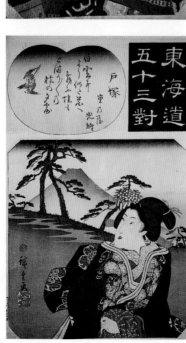

左 565 　歌川国芳
東海道五十三対
日本橋
37.0×23.5

Utagawa Kuniyoshi
Tōkaidō gojūsan tsui
Nihonbashi

A18816

右 566 　歌川国芳
東海道五十三対
品川
37.0×23.5

Utagawa Kuniyoshi
Tōkaidō gojūsan tsui
Shinagawa

A18817

左 567 　歌川国芳
東海道五十三対
川崎
弘化四年
37.0×23.5

Utagawa Kuniyoshi
Tōkaidō gojūsan tsui
Kawasaki
1847

A18818

右 568 　歌川国貞 初代
東海道五十三対
神奈川
37.0×23.5

Utagawa Kunisada I
Tōkaidō gojūsan tsui
Kanagawa

A18819

左 569 　歌川国芳
東海道五十三対
保土ヶ谷
弘化四年
37.0×23.5

Utagawa Kuniyoshi
Tōkaidō gojūsan tsui
Hodogaya
1847

A18820

右 570 　歌川広重 初代
東海道五十三対
戸塚
37.0×23.5

Utagawa Hiroshige I
Tōkaidō gojūsan tsui
Totsuka

A18821

96

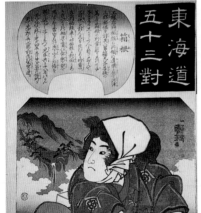

左 571 歌川国芳
東海道五十三対
藤沢
弘化四年
37.0×23.5

Utagawa Kuniyoshi
Tōkaidō gojūsan tsui
Fujisawa
1847

A18822

右 572 歌川広重 初代
東海道五十三対
平塚
37.0×23.5

Utagawa Hiroshige I
Tōkaidō gojūsan tsui
Hiratsuka

A18823

左 573 歌川国芳
東海道五十三対
大磯
弘化四年
37.0×23.5

Utagawa Kuniyoshi
Tōkaidō gojūsan tsui
Ōiso
1847

A18824

右 574 歌川国芳
東海道五十三対
小田原
37.0×23.5

Utagawa Kuniyoshi
Tōkaidō gojūsan tsui
Odawara

A18825

左 575 歌川国芳
東海道五十三対
箱根
37.0×23.5

Utagawa Kuniyoshi
Tōkaidō gojūsan tsui
Hakone

A18825

右 576 歌川広重 初代
東海道五十三対
三嶋
37.0×23.5

Utagawa Hiroshige I
Tōkaidō gojūsan tsui
Mishima

A18827

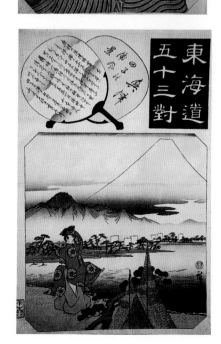

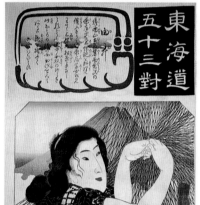

左 577 歌川国芳
東海道五十三対
沼津
弘化四年
37.0×23.5

Utagawa Kuniyoshi
Tōkaidō gojūsan tsui
Numazu
1847

A18828

右 578 歌川広重 初代
東海道五十三対
原
37.0×23.5

Utagawa Hiroshige I
Tōkaidō gojūsan tsui
Hara

A18829

左 579 歌川国芳
東海道五十三対
蒲原
37.0×23.5

Utagawa Kuniyoshi
Tōkaidō gojūsan tsui
Kanbara

A18830

右 580 歌川国芳
東海道五十三対
由井
弘化四年
37.0×23.5

Utagawa Kuniyoshi
Tōkaidō gojūsan tsui
Yui
1847

A18831

左 581 歌川広重 初代
東海道五十三対
奥津
37.0×23.5

Utagawa Hiroshige I
Tōkaidō gojūsan tsui
Okitsu

A18832

右 582 歌川広重 初代
東海道五十三対
江尻
弘化四年
37.0×23.5

Utagawa Hiroshige I
Tōkaidō gojūsan tsui
Ejiri
1847

A18833

左 583 　歌川広重 初代
東海道五十三対
府中
37.0×23.5

Utagawa Hiroshige I
Tōkaidō gojūsan tsui
Fuchū

A18834

右 584 　歌川広重 初代
東海道五十三対
丸子
弘化四年
37.0×23.5

Utagawa Hiroshige I
Tōkaidō gojūsan tsui
Mariko
1847

A18835

左 585 　歌川国芳
東海道五十三対
岡部
37.0×23.5

Utagawa Kuniyoshi
Tōkaidō gojūsan tsui
Okabe

A18836

右 586 　歌川国芳
東海道五十三対
藤枝
弘化四年
37.0×23.5

Utagawa Kuniyoshi
Tōkaidō gojūsan tsui
Fujieda
1847

A18837

左 587 　歌川国貞 初代
東海道五十三対
島田
37.0×23.5

Utagawa Kunisada I
Tōkaidō gojūsan tsui
Shimada

A18838

右 588 　歌川広重 初代
東海道五十三対
金谷
弘化四年
37.0×23.5

Utagawa Hiroshige I
Tōkaidō gojūsan tsui
Kanaya
1847

A18839

左 589 歌川国芳
東海道五十三対
日坂
37.0×23.5

Utagawa Kuniyoshi
Tōkaidō gojūsan tsui
Nissaka

A18840

右 590 歌川国芳
東海道五十三対
掛川
弘化四年
37.0×23.5

Utagawa Kuniyoshi
Tōkaidō gojūsan tsui
Kakegawa
1847

A18841

左 591 歌川国貞 初代
東海道五十三対
袋井
37.0×23.5

Utagawa Kunisada I
Tōkaidō gojūsan tsui
Fukuroi

A18842

右 592 歌川国芳
東海道五十三対
見附
弘化四年
37.0×23.5

Utagawa Kuniyoshi
Tōkaidō gojūsan tsui
Mitsuke
1847

A18843

左 593 歌川国芳
東海道五十三対
浜松
37.0×23.5

Utagawa Kuniyoshi
Tōkaidō gojūsan tsui
Hamamatsu

A18844

右 594 歌川国芳
東海道五十三対
舞坂
弘化四年
37.0×23.5

Utagawa Kuniyoshi
Tōkaidō gojūsan tsui
Maisaka
1847

A18845

左 595　歌川国貞 初代
東海道五十三対
あらい
37.0×23.5

Utagawa Kunisada I
Tōkaidō gojūsan tsui
Arai

8A18846

右 596　歌川広重 初代
東海道五十三対
白須賀
弘化四年
37.0×23.5

Utagawa Hiroshige I
Tōkaidō gojūsan tsui
Shirasuka
1847

A18847

左 597　歌川広重 初代
東海道五十三対
二川
37.0×23.5

Utagawa Hiroshige I
Tōkaidō gojūsan tsui
Futagawa

A18848

右 598　歌川国貞 初代
東海道五十三対
吉田
弘化四年
37.0×23.5

Utagawa Kunisada I
Tōkaidō gojūsan tsui
Yoshida
1847

A18849

左 599　歌川国芳
東海道五十三対
御油
37.0×23.5

Utagawa Kuniyoshi
Tōkaidō gojūsan tsui
Goyu

A18850

右 600　歌川広重 初代
東海道五十三対
赤坂
弘化四年
37.0×23.5

Utagawa Hiroshige I
Tōkaidō gojūsan tsui
Akasaka
1847

A18851

左 601 歌川国芳
東海道五十三対
藤川
37.0×23.5

Utagawa Kuniyoshi
Tōkaidō gojūsan tsui
Fujikawa

A18852

右 602 歌川広重 初代
東海道五十三対
岡崎
弘化四年
37.0×23.5

Utagawa Hiroshige I
Tōkaidō gojūsan tsui
Okazaki
1847

A18853

左 603 歌川国芳
東海道五十三対
池鯉鮒
37.0×23.5

Utagawa Kuniyoshi
Tōkaidō gojūsan tsui
Chiryū

A18854

右 604 歌川国貞 初代
東海道五十三対
鳴海
弘化四年
37.0×23.5

Utagawa Kunisada I
Tōkaidō gojūsan tsui
Narumi
1847

A18855

左 605 歌川国貞 初代
東海道五十三対
宮
37.0×23.5

Utagawa Kunisada I
Tōkaidō gojūsan tsui
Miya

A18856

右 606 歌川国芳
東海道五十三対
桑名
弘化四年
37.0×23.5

Utagawa Kuniyoshi
Tōkaidō gojūsan tsui
Kuwana
1847

A18857

左 607 歌川国貞 初代
東海道五十三対
四日市
37.0×23.5

Utagawa Kunisada I
Tōkaidō gojūsan tsui
Yokkaichi

A18858

右 608 歌川国芳
東海道五十三対
石薬師
弘化四年
37.0×23.5

Utagawa Kuniyoshi
Tōkaidō gojūsan tsui
Ishiyakushi
1847

A18859

左 609 歌川国芳
東海道五十三対
庄野
37.0×23.5

Utagawa Kuniyoshi
Tōkaidō gojūsan tsui
Shōno

A18860

右 610 歌川広重 初代
東海道五十三対
亀山
弘化四年
37.0×23.5

Utagawa Hiroshige I
Tōkaidō gojūsan tsui
Kameyama
1847

A18861

左 611 歌川広重 初代
東海道五十三対
関
37.0×23.5

Utagawa Hiroshige I
Tōkaidō gojūsan tsui
Seki

A18862

右 612 歌川広重 初代
東海道五十三対
坂の下
弘化四年
37.0×23.5

Utagawa Hiroshige I
Tōkaidō gojūsan tsui
Sakanoshita
1847

A18863

左 613 　歌川国芳
東海道五十三対
土山
37.0×23.5

Utagawa Kuniyoshi
Tōkaidō gojūsan tsui
Tsuchiyama

A18864

右 614 　歌川国芳
東海道五十三対
水口
弘化四年
37.0×23.5

Utagawa Kuniyoshi
Tōkaidō gojūsan tsui
Minakuchi
1847

A18865

左 615 　歌川国芳
東海道五十三対
石部
37.0×23.5

Utagawa Kuniyoshi
Tōkaidō gojūsan tsui
Ishibe

A18866

右 616 　歌川国芳
東海道五十三対
草津
弘化四年
37.0×23.5

Utagawa Kuniyoshi
Tōkaidō gojūsan tsui
Kusatsu
1847

A18867

左 617 　歌川国芳
東海道五十三対
大津
37.0×23.5

Utagawa Kuniyoshi
Tōkaidō gojūsan tsui
Ōtsu

A18868

右 618 　歌川広重 初代
東海道五十三対
京
37.0×23.5

Utagawa Hiroshige I
Tōkaidō gojūsan tsui
Kyo[to]

A18869

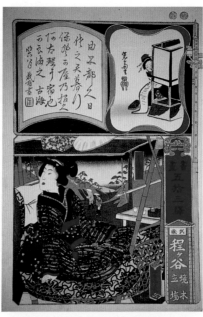

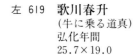

左 619 **歌川春升**
（牛に乗る道真）
弘化年間
25.7×19.0

Utagawa Shunshō
[Sugawara Michizane
　Riding on a Bull
ca. 1844-47

A26989

右 620 **歌川重清・歌川芳虎**
書画五十三駅
武蔵程ヶ谷
明治五年
37.5×25.3

**Utagawa Shigekiyo/
Utagawa Yoshitora**
Shoga gojūsan eki
Hodogaya, Musashi
1872　　　　A18606

左 621 **歌川重清・歌川芳虎**
書画五十三駅
駿河興津
明治五年
36.6×24.7

**Utagawa Shigekiyo/
Utagawa Yoshitora**
Shoga gojūsan eki
Okitsu, Suruga
1872　　　　A18607

右 622 **歌川重清・歌川芳春**
書画五十三駅
駿河江尻
明治五年
35.5×24.1

**Utagawa Shigekiyo/
Utagawa Yoshiharu**
Shoga gojūsan eki
Ejiri, Suruga
1872　　　　A30503

左 623 **歌川豊国 初代**
尾上栄三郎
文化前期
39.0×26.3

Utagawa Toyokuni I
Onoe Eizaburō
ca. 1804-10

A30414

右 624 **歌川豊国 初代**
下り沢村宗十郎
30.4×21.1

Utagawa Toyokuni I
Sawamura Sōjirō
　Appearing in Osaka

A28721

左 625　歌川豊国　初代
　　　　下り嵐雛助　嵐三八
　　　　31.1×19.8

Utagawa Toyokuni I
Arashi Hinasuke and
Arashi Sanpachi
Appearing in Osaka

A27387

右 626　歌川豊国　初代
　　　　市川男女蔵　尾上栄三郎
　　　　26.3×13.2

Utagawa Toyokuni I
Ichikawa Omezō and
Onoe Eizaburō

A29046

左 627　歌川豊国　初代
　　　　中村芝かん名残狂言九変化所作之内
　　　　関羽　駕細工
　　　　文政前期
　　　　35.2×25.0

Utagawa Toyokuni I
Nakamura Shikan nagori
kyōgen kyūhenge shosa
no uchi: Kan'u
ca. 1818-22　　A2620

右 628　歌川豊国　初代
　　　　瀬川菊之丞七変化の内
　　　　いさみ
　　　　35.1×24.4

Utagawa Toyokuni I
Segawa Kikunojō
shichihenge no uchi:
Chivalry

A29605

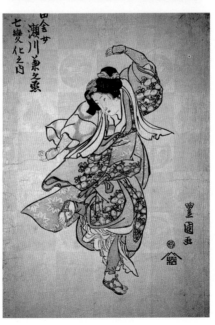

左 629　歌川豊国　初代
　　　　瀬川菊之丞七変化の内
　　　　弁財天
　　　　35.5×23.7

Utagawa Toyokuni I
Segawa Kikunojō
shichihenge no uchi:
Benzaiten

A29612

右 630　歌川豊国　初代
　　　　瀬川菊之丞七変化之内
　　　　田舎女
　　　　文政前期
　　　　35.3×25.2

Utagawa Toyokuni I
Segawa Kikunojō
shichihenge no uchi:
Peasant Woman
ca. 1818-25　　A29604

左 631 歌川豊国 初代
役者十二つき
十月 かいあん寺紅葉の図
38.2×25.3

Utagawa Toyokuni I
Yakusha jūni tsuki
The Tenth Month:
　Autumn Foliage
　at Kaianji

A31837

右 632 歌川豊国 初代
江戸錦寿十二月
むつまし月
33.9×25.6

Utagawa Toyokuni I
Edo nishiki
　kotobuki jūni tsuki
The First Month

A30342

左 633 歌川豊国 初代
江戸錦寿十二月
きさらぎ
33.6×24.6

Utagawa Toyokuni I
Edo nishiki
　kotobuki jūni tsuki
The Second Month

A30343

右 634 歌川豊国 初代
江戸錦寿十二月
弥生月
35.3×25.0

Utagawa Toyokuni I
Edo nishiki
　kotobuki jūni tsuki
The Third Month

A30340

左 635 （歌川豊国 初代）
江戸錦寿十二月
皐月
寛政後期
33.7×24.9

[**Utagawa Toyokuni I**]
Edo nishiki
　kotobuki jūni tsuki
The Fifth Month
ca. 1795-1801　　A30336

右 636 歌川豊国 初代
江戸錦寿十二月
ふみ月
33.3×24.8

Utagawa Toyokuni I
Edo nishiki
　kotobuki jūni tsuki
The Seventh Month

A30337

左 637　歌川豊国 初代
江戸錦寿十二月
秋のもなか
34.2×25.0

Utagawa Toyokuni I
Edo nishiki
　kotobuki jūni tsuki
The Eighth Month

A30344

右 638　歌川豊国 初代
江戸錦寿十二月
神無月
33.4×25.0

Utagawa Toyokuni I
Edo nishiki
　kotobuki jūni tsuki
The Tenth Month

A30339

左 639　歌川豊国 初代
江戸錦寿十二月
霜月
34.2×25.7

Utagawa Toyokuni I
Edo nishiki
　kotobuki jūni tsuki
The Eleventh Month

A30338

右 640　歌川豊国 初代
江戸錦寿十二月
極月
34.3×24.6

Utagawa Toyokuni I
Edo nishiki
　kotobuki jūni tsuki
The Last Month
　of the Year

A30341

左 641　歌川豊国 初代？
御名残一世一代中村歌右衛門
うつぼざる
文化十二年
36.5×22.4

Utagawa Toyokuni I ?
Onagori issei ichidai
　Nakamura Utaemon
Utsubozaru
1815　　　　A28949

右 0642　歌川豊国 初代
（役者絵）
20.7×18.1
摺物

Utagawa Toyokuni I
［Actor Print］
Surimono

A19280

左 643　歌川豊国 初代
（錨と煙管）
20.7×18.1
摺物

Utagawa Toyokuni I
[Anchor and
　Smoking Utensils]
Surimono

A19877

右 644　歌川豊国 二代
坂東三津五郎
36.4×24.9

Utagawa Toyokuni II
Bandō Mitsugorō

A34125

左 645　歌川豊国 二代
美人合
玉屋内 歌川
文政末〜天保初
藍摺
35.4×24.7
Utagawa Toyokuni II
Bijin awase
Utagawa of Tamaya
ca. 1828-33
Aizuri　　A29603

右 646　歌川豊熊
（正月飾）
19.0×8.6
絵暦

Utagawa Toyokuma
[New Year's
　Decorations]
Egoyomi

A27608

左 647　歌川広重 初代
玉屋内 たが袖
34.6×22.2

Utagawa Hiroshige I
Tagasode of Tamaya

A841

右 648　歌川広重 初代
忠孝仇討図会
巌流島
33.1×22.9

Utagawa Hiroshige I
Chūko adauchi zue
Ganryūjima

A29084

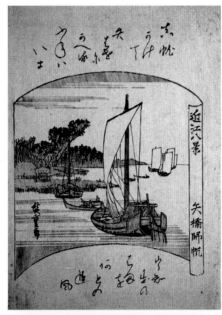

左 649　歌川広重 初代
小倉擬百人一首
三十九　参議等
36.0×24.2

Utagawa Hiroshige I
Ogura nazorae
　hyakunin isshu
Thirty-nine:
　Sangi no Takamura
　　　　　A34153

右 650　歌川広重 初代
近江八景
矢橋帰帆
23.2×16.7

Utagawa Hiroshige I
Ōmi hakkei
Sailboats Returning
　to Yabase

　　　　　A29177

左 651　歌川広重 初代
名所江戸百景
日本橋通一丁目略図
安政年間
34.0×21.9

Utagawa Hiroshige I
Meisho Edo hyakkei
View of Nihonbashi
　Dōri 1-chōme
ca. 1855　　A3236

右 652　歌川広重 初代
名所江戸百景
浅草川首尾の松御厩河岸
安政年間
34.1×22.4

Utagawa Hiroshige I
Meisho Edo hyakkei
Pine of Success and
　Onmayagashi,
　Asakusa River
ca. 1855　　A3260

左 653　歌川広重 初代
名所江戸百景
大はしあたけの夕立
安政四年
33.9×22.3

Utagawa Hiroshige I
Meisho Edo hyakkei
Sudden Shower
　Over Shin-Ōhashi
　Bridge and Atake
1857/9　　A3235

右 654　歌川広重 初代
名所江戸百景
深川洲崎十万坪
安政四年
36.3×24.5

Utagawa Hiroshige I
Meisho Edo hyakkei
Fukagawa Susaki
　and Jūmantsubo
1857/5　　A18903

左 655　歌川広重 二代
名所江戸百景
赤坂桐畑雨中夕けい
安政六年
34.1×21.9

Utagawa Hiroshige II
Meisho Edo hyakkei
Evening Shower at
　Akasaka Kiribatake
1859　　　　　　A3259

右 656　歌川広重 三代
東京名勝図会
日本橋御高札
35.4×24.3

Utagawa Hiroshige III
Tokyo meishō zue
Official Notice Board
　at Nihonbashi

A23667

左 657　歌川広重 三代
東京名勝図会
神田明神境内
36.3×25.5

Utagawa Hiroshige III
Tokyo meishō zue
Kanda Myōjin
　Shrine Compound

A23668

右 658　歌川広重 三代
東京名勝図会
上野山内雨中の景
36.7×25.2

Utagawa Hiroshige III
Tokyo meishō zue
View of Uenoyama
　in the Rain

A23665

左 659　歌川広重 三代
東京名勝図会
上野広小路
35.3×25.5

Utagawa Hiroshige III
Tokyo meishō zue
Hirokōji, Ueno

A23664

右 660　歌川広重 三代
東京名勝図会
芝増上寺大門
35.8×24.1

Utagawa Hiroshige III
Tokyo meishō zue
The Outer Gate of
　Zōjōji, Shiba

A23666

左 661　歌川広重 三代
立斎漫画
明治十二年
35.3×22.8

Utagawa Hiroshige III
Ryūsai manga
1879/4/28

A4110

右 662　歌川広重 三代
立斎漫画
明治十二年
35.1×23.1

Utagawa Hiroshige III
Ryūsai manga
1879

A4104

左 663　歌川広重 三代
立斎漫画
明治十二年
35.2×23.2

Utagawa Hiroshige III
Ryūsai manga
1879/4

A4103

右 664　歌川広重 三代
立斎漫画
明治十二年
35.5×23.4

Utagawa Hiroshige III
Ryūsai manga
1879/4/28

A4107

左 665　歌川広重 三代
立斎漫画
明治十二年
35.5×22.8

Utagawa Hiroshige III
Ryūsai manga
1879

A4111

右 666　歌川広重 三代
立斎漫画
明治十二年
35.5×23.5

Utagawa Hiroshige III
Ryūsai manga
1879

A4099

左 667　歌川広重 三代
立斎漫画
明治十二年
35.1×23.7

Utagawa Hiroshige III
Ryūsai manga
1879/4/28

A4098

右 668　歌川広重 三代
立斎漫画
明治十二年
35.3×23.5

Utagawa Hiroshige III
Ryūsai manga
1879/4/28

A4097

左 669　歌川広重 三代・綾岡・月岡芳年
（寄絵）
明治十一年
36.6×25.1

**Utagawa Hiroshige III/
Ayaoka/
Tsukioka Yoshitoshi**
[Miscellaneous Pictures]
1878/6/7

A18888

右 670　歌川広重 三代・飯島光峨
素真
（寄絵）
明治十一年
36.8×25.5

**Utagawa Hiroshige III/
Kōga/Soshin**
[Miscellaneous Pictures]
1878/6/7

A18889

左 671　歌川広重 三代・飯島光峨
（寄絵）
明治十六年
35.4×23.3

**Utagawa Hiroshige III/
Iijima Kōga**
[Miscellany of Paintings]
1883/4/2

A4106

右 672　歌川広重 三代・河鍋暁斎
・小林永濯
（寄絵）
35.5×23.0

**Utagawa Hiroshige III/
Kawanabe Kyōsai/
Kobayashi Eitaku**
[Miscellany of Paintings]

A4108

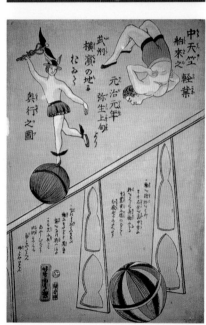

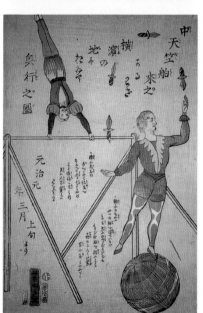

左 673 歌川広重 三代・柴田是真
・大西椿年
（寄絵）
明治十一年
35.4×23.7
**Utagawa Hiroshige III/
Shibata Zeshin/
Ōnishi Chinnen**
[Miscellany of Paintings]
1878/6/7

A4109

右 674 歌川芳艶 初代
東海道名所之内
石山の秋月
32.7×21.7

Utagawa Yoshitsuya I
Tōkaidō meisho no uchi
Autumn Moon
Over Ishiyama

A3276

左 675 歌川芳豊 初代
中天竺馬爾加国出生新渡舶来大
象之図
文久二年
35.2×24.0

Utagawa Yoshitoyo I
Elephant Imported from
Chūtenjiku Baruka
1862

A2633

右 676 歌川芳虎
中天竺舶来之軽業
元治元年
36.5×24.6

Utagawa Yoshitora
Foreign Acrobats
in Mid-air
1864

A29804

左 677 歌川芳虎
中天竺舶来之かるわざ
元治元年
36.6×24.8

Utagawa Yoshitora
Foreign Acrobats on
the Horizontal Bar
1864

A29803

右 678 歌川芳虎
道外武者 御代の若餅
弘化四年～嘉永五年
35.2×23.6

Utagawa Yoshitora
Capricious Samurai
Making Rice Cakes
ca. 1847-52

A2605

114

左 679　歌川芳虎
風流さや絵
弘化四年～嘉永五年
35.2×25.6

Utagawa Yoshitora
Trick Painting
ca. 1847-52

A2596

右 680　歌川芳虎
書画五十三駅
遠江嶋田
明治五年
37.4×25.3

Utagawa Yoshitora
Shoga gojūsan eki
Shimada, Tōtomi
1872

A18608

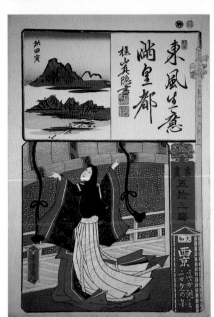

左 681　歌川芳虎
書画五十三駅
大和西京
明治五年
37.1×25.4

Utagawa Yoshitora
Shoga gojūsan eki
Saikyō, Yamato
1872

A18609

右 682　歌川芳虎
書画五十三駅
相模大磯
明治五年
36.5×24.8

Utagawa Yoshitora
Shoga gojūsan eki
Ōiso, Sagami
1872

A18610

左 683　歌川芳春
（美人東海道）
神奈川
35.2×23.7

Utagawa Yoshiharu
［Bijin Tōkaidō］
Kanagawa

A29600

右 684　歌川芳藤
雷神門立退
慶応元年
35.2×23.5

Utagawa Yoshifuji
The Removal of
　Kaminari Mon
1865/12

A2619

左 685 　歌川芳宗 二代
撰雪六六談
義心乃鉈
明治二六年
37.5×24.9

Utagawa Yoshimune II
Sensetsu rokuroku dan
Chivalrous Chopping
1893

A18714

右 686 　歌川芳宗 二代
撰雪六六談
望嶽
明治二六年
37.4×24.8

Utagawa Yoshimune II
Sensetsu rokuroku dan
Looking at Mt. Fuji
1893

A18713

左 687 　歌川芳宗 二代
撰雪六六談
時を待獸狩
明治二六年
36.9×24.8

Utagawa Yoshimune II
Sensetsu rokuroku dan
Laying in Wait for
　　Animals
1893　　　A18711

右 688 　歌川芳宗 二代
撰雪六六談
忠信形る哉
明治二六年
37.5×24.9

Utagawa Yoshimune II
Sensetsu rokuroku dan
Tadanobu Measuring Up
　　His Opponent
1893　　　A18709

左 689 　歌川芳宗 二代
撰雪六六談
一休 俗語松
明治二六年
37.3×25.2

Utagawa Yoshimune II
Sensetsu rokuroku dan
Ikkyū
1893

A18708

右 690 　歌川芳宗 二代
撰雪六六談
貴金の盛徳
明治二六年
37.2×25.2

Utagawa Yoshimune II
Sensetsu rokuroku dan
The Virtue of
　　Giving Away Riches
1893　　　A18707

116

左 691 **歌川芳宗 二代**
撰雪六六談
大雪中乃単騎 福島安正
明治二六年
36.8×24.9

Utagawa Yoshimune II
Sensetsu rokuroku dan
Fukushima Yasumasa, Lone
　Horseman in the Snow
1893　　　　　A18706

右 692 **歌川芳宗 二代**
撰雪六六談
平賀入道　初陣の神策
明治二五年
37.3×24.7

Utagawa Yoshimune II
Sensetsu rokuroku dan
Hiraga Nyūdō's Strategy
　for the First Battle
1892　　　　　A18716

左 693 **歌川芳宗 二代**
撰雪六六談
加賀中尉　六朔貢
明治二六年
37.2×25.3

Utagawa Yoshimune II
Sensetsu rokuroku dan
Kaga Chūjō on
　the Tribute Day
1893/9/1　　　A18717

右 694 **歌川芳宗 二代**
撰雪六六談
佐野の夕暮
明治二五年
37.3×25.1

Utagawa Yoshimune II
Sensetsu rokuroku dan
Sano at Dusk
1892

　　　　　A18719

左 695 **歌川芳宗 二代**
撰雪六六談
奇術の鍋蓋
明治二六年
36.7×24.8

Utagawa Yoshimune II
Sensetsu rokuroku dan
Magic Kettle Lid
1893

　　　　　A18720

右 696 **歌川芳宗 二代**
撰雪六六談
節義の青竹
明治二五年
36.4×24.6

Utagawa Yoshimune II
Sensetsu rokuroku dan
The Integrity of
　Bamboo
1892　　　　A18718

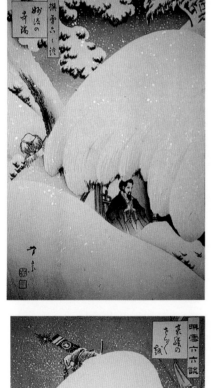

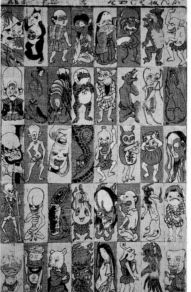

左 697 **歌川芳宗 二代**
撰雪六六談
加藤清正 篭城の馬肉
明治二六年
37.3×25.2
Utagawa Yoshimune II
Sensetsu rokuroku dan
Katō Kiyomasa:
　Horsemeat During
　the Besiege
1893　　　　A18710

右 698 **歌川芳宗 二代**
撰雪六六談
孝子の錬磨
明治二六年
37.5×24.8

Utagawa Yoshimune II
Sensetsu rokuroku dan
Filial Sons Refining
　Their Martial Skills
1893　　　　A18715

左 699 **歌川芳宗 二代**
撰雪六六談
妙法の奇瑞
明治二五年
37.2×25.1

Utagawa Yoshimune II
Sensetsu rokuroku dan
Wondrous Omen
1892
　　　　　A18712

右 700 **歌川芳宗 二代**
撰雪六六談
英雄の風雅
明治二五年
36.2×24.1

Utagawa Yoshimune II
Sensetsu rokuroku dan
The Refined Taste of a Hero
1892
　　　　　A18704

左 701 **歌川芳宗 二代**
撰雪六六談
豪譽のさらさら越
明治二五年
36.4×24.6

Utagawa Yoshimune II
Sensetsu rokuroku dan
A Warlord Crossing the Pass
1892
　　　　　A18705

右 702 **歌川芳盛 初代**
しん板化物尽
35.1×22.1

Utagawa Yoshimori I
Assorted Goblins

　　　　　A29114

左 703 歌川芳盛 初代
しん板化物尽し
35.0×22.2

Utagawa Yoshimori I
Assorted Goblins

A29113

右 704 歌川芳雪
実川延若のおかん
25.6×19.2

Utagawa Yoshiyuki
Jitsukawa Enjaku
in the Role of Okan

A29185

左 705 歌川芳雪
市川筆之助のおくみ
25.6×19.2

Utagawa Yoshiyuki
Ichikawa Fudenosuke
in the Role of Okumi

A29184

右 706 右田年英
英雄三十六歌撰
東照宮
明治二六年
36.6×25.4

Uda Toshihide
Eiyū sanjūrokkasen
Tōshōgu
1893

A18804

左 707 右田年英
英雄三十六歌撰
楠正行
明治二六年
36.9×25.5

Uda Toshihide
Eiyū sanjūrokkasen
Kusunoki Masatsura
1893

A18803

右 708 右田年英
英雄三十六歌撰
楠正成
明治二六年
37.0×25.5

Uda Toshihide
Eiyū sanjūrokkasen
Kusunoki Masashige
1893

A18802

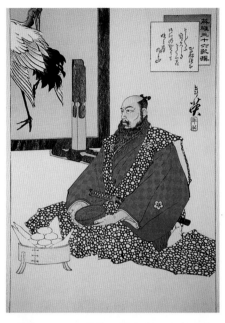 

左 709　右田年英
英雄三十六歌撰
加藤清正
明治二六年
36.6×25.5

Uda Toshihide
Eiyū sanjūrokkasen
Katō Kiyomasa
1893
　　　　　A18799

右 710　右田年英
英雄三十六歌撰
上杉謙信
明治二六年
37.0×25.5

Uda Toshihide
Eiyū sanjūrokkasen
Uesugi Kenshin
1893
　　　　　A18806

左 711　右田年英
英雄三十六歌撰
明智光秀
明治二六年
36.8×25.5

Uda Toshihide
Eiyū sanjūrokkasen
Akechi Mitsuhide
1893
　　　　　A18807

右 712　右田年英
英雄三十六歌撰
源義家
明治二六年
36.9×25.4

Uda Toshihide
Eiyū sanjūrokkasen
Minamoto no Yoshiie
1893
　　　　　A18805

左 713　右田年英
英雄三十六歌撰
源頼朝
明治二六年
36.9×25.9

Uda Toshihide
Eiyū sanjūrokkasen
Minamoto no Yoritomo
1893
　　　　　A18800

右 714　右田年英
英雄三十六歌撰
本間資忠
明治二六年
36.8×25.1

Uda Toshihide
Eiyū sanjūrokkasen
Honma Toshitada
1893
　　　　　A18801

120

左 715 **右田年英**
英雄三十六歌撰
瀧川一益
明治二六年
36.8×25.3

Uda Toshihide
Eiyū sanjūrokkasen
Takigawa Kazumasu
1893

A18798

右 716 **右田年英**
英雄三十六歌撰
平忠盛
明治二六年
36.9×25.6

Uda Toshihide
Eiyū sanjūrokkasen
Taira no Tadamori
1893

A18796

左 717 **右田年英**
誠忠義士銘々伝
村松三太夫藤原高直
明治二六年
36.9×24.7

Uda Toshihide
Seichū gishi meimei den
Muramatsu Sandayū
1893/10

A18790

右 718 **右田年英**
誠忠義士銘々伝
潮田又之丞源高教
明治二六年
37.3×25.2

Uda Toshihide
Seichū gishi meimei den
Ushioda Matanojō
1893

A18791

左 719 **右田年英**
誠忠義士銘々伝
赤垣源蔵藤原正賢
明治二六年
37.0×24.8

Uda Toshihide
Seichū gishi meimei den
Akagaki Genzō
1893

A18792

右 720 **右田年英**
誠忠義士銘々伝
原総右衛門源元辰
明治二六年
36.3×24.4

Uda Toshihide
Seichū gishi meimei den
Hara Sōemon
1893/2

A18793

左 721 右田年英
誠忠義士銘々伝
武林唯七隆重
明治二六年
37.4×25.2

Uda Toshihide
Seichū gishi meimei den
Takebayashi Tadashichi
1893

A18794

右 722 右田年英・英一補？
誠忠義士銘々伝
堀部彌兵衛源金丸
明治二六年
36.3×24.4

**Uda Toshihide and
Hanabusa Ippo ?**
Seichū gishi meimei den
Horibe Yahei
1893   A18795

左 723 栄松斎長喜(子興)
青楼仁和賀
鹿嶋踊
寛政後期
32.0×21.9

Eishōsai Chōki (Shikō)
Seirō niwaka
Kashima Dance
ca. 1796-1800

A851

右 724 栄松斎長喜(子興)
青楼仁和賀
年の市勇初恋
寛政後期
31.4×21.2

Eishōsai Chōki (Shikō)
Seirō niwaka
First Love at
    the Year-end Fair
ca. 1796-1800   A850

左 725 尾形月耕
源氏五十四帖
五十一 舟
明治二八年
36.8×25.0

Ogata Gekkō
Genji gojūyonjō
Fifty-one: Ukifune
1895

A30358

右 726 落合芳幾
悪七兵衛景清 中村芝翫、
　娘人丸 坂東しうか
36.8×24.9

Ochiai Yoshiiku
Nakamura Shikan in the Role
    of Aku Shichibei Kagekiyo/
    Bandō Shūka in the Role
    of Musume Hitomaru

A30586

左 727 落合芳幾
氏下久吉 片岡仁左衛門
狩野雪姫 沢村田之助
文久二年
35.3×24.3
Ochiai Yoshiiku
Kataoka Nizaemon in the Role
of Ujishita Hisakichi and
Sawamura Tanosuke in the
Role of Kanō Yukihime
1862 A34242

右 728 落合芳幾
遊君阿古屋 大坂下り尾上栄三郎、
岩永左衛門 中村芝翫
36.7×24.9
Ochiai Yoshiiku
Onoe Eizaburō Appearing
in Osaka in the Role of
Yūkun Akoya and
Nakamura Shikan in the
Role of Iwanaga Zaemon
A30585

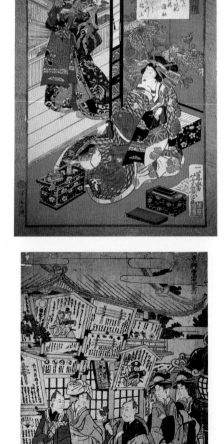

左 729 落合芳幾
全盛自筆 三十六花撰
尾州楼 誰が袖 橋立
37.0×25.3

Ochiai Yoshiiku
Zensei jihitsu
sanjūrokkasen
Tagasode and
Hashidate of Bishūrō
A30588

右 730 落合芳幾
見たて似たかきん魚
文久三年
36.3×25.2

Ochiai Yoshiiku
Mitate of Goldfish
with Human Faces
1863/6

A30325

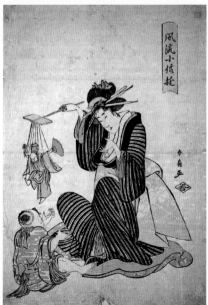

左 731 勝川春紅 初代
東都愛宕山之景
37.6×24.6

Katsukawa Shunkō I
View of Atagoyama
in Edo

A33732

右 732 勝川春好 二代
風流小供遊
(三番叟人形)
31.3×21.6

Katsukawa Shunkō II
Fūryū kodomo asobi
[Sanbasō Marionette]

A33725

左 733 勝川春山 初代
(唐子遊)
20.8×15.1

Katsukawa Shunzan I
[Children Playing]

A33723

右 734 勝川春章
市川八百蔵
36.8×16.2

Katsukawa Shunshō
Ichikawa Yaozō

A33709

左 735 勝川春泉
(二代目市川高麗蔵)
27.3×13.2

Katsukawa Shunsen
[Ichikawa Komazō II]

A28749

右 736 勝川春潮
(洲崎)
32.5×22.9

Katsukawa Shunchō
[Suzaki]

A33892

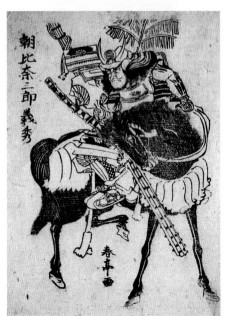

左 737 勝川春亭
朝比奈三郎義秀
墨摺
21.8×15.9

Katsukawa Shuntei
Asahina Saburō Yoshihide
Sumizuri

A27539

右 738 勝川春亭
(渡し場)
33.0×13.8

Katsukawa Shuntei
[Ferry Boat Landing]

A29088

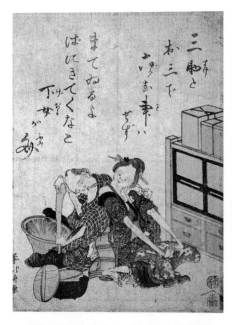

左 739　葛飾北斎？
三助とお三
22.0×16.1

Katsushika Hokusai
Sansuke and Omitsu

A6501

右 740　葛飾北斎
柘榴垣連五番之内和漢画兄弟
（佐々木高綱と中国武人）
文政五年
20.7×17.9　摺物
Katsushika Hokusai
Zakurogaki-ren goban no uchi
　wakan e kyōdai
[Sasaki Takatsuna and
　Chinese Warrior] 1822
Surimono　　A30281

左 741　葛飾北斎
風流東都八景
飛鳥山の夕照
22.5×16.6

Katsushika Hokusai
Fūryū tōto hakkei
Sunset at Asukayama

A29187

右 742　葛飾北斎
（近江八景）
矢橋之帰帆
23.0×17.4

Katsushika Hokusai
[Ōmi hakkei]
Sailboats Returning
　to Yabase

A33982

左 743　葛飾北斎
東海道五十三次
十三　沼津
文化前期
21.8×15.5

Katsushika Hokusai
Tōkaidō gojūsan tsugi
Thirteen: Numazu
ca. 1804-10
　　　　A33738

右 744　葛飾北斎
東海道五十三次
十五　吉原
文化前期
21.9×15.7

Katsushika Hokusai
Tōkaidō gojūsan tsugi
Fifteen: Yoshiwara
ca. 1804-10
　　　　A33738B

左 745 葛飾北斎
東海道五十三次
三十六 御油
23.0×15.7

Katsushika Hokusai
Tōkaidō gojūsan tsugi
Thirty-six: Goyu

A33739

右 746 葛飾北斎
東海道五十三次
白須賀
文化後期
22.1×16.8

Katsushika Hokusai
Tōkaidō gojūsan tsugi
Shirasuka
ca. 1811-18

A33737

左 747 葛飾北斎
東海道五十三次
亀山
文化後期
22.2×16.2

Katsushika Hokusai
Tōkaidō gojūsan tsugi
Kameyama
ca. 1811-18

A33736

右 748 葛飾北斎
元禄歌仙貝合
雀貝
19.0×17.3
摺物

Katsushika Hokusai
Genroku kasen kai awase
Suzumegai
Surimono

A19863

左 749 葛飾北斎
元禄歌仙貝合
うつせ貝
19.2×17.2
摺物

Katsushika Hokusai
Genroku kasen kai awase
Utsusegai
Surimono

A19864

右 750 葛飾北斎
元禄歌仙貝合
白貝
19.5×17.0
摺物

Katsushika Hokusai
Genroku kasen kai awase
Shirogai
Surimono

A19866

左 751 **葛飾北斎**
元禄歌仙貝合
みなせ貝
19.1×17.2
摺物

Katsushika Hokusai
Genroku kasen kai awase
Minasegai
Surimono

A19862

右 752 **葛飾北斎**
元禄歌仙貝合
うらたつ貝
19.4×17.0
摺物

Katsushika Hokusai
Genroku kasen kai awase
Uratatsukai
Surimono

A19883

左 753 **葛飾北斎**
元禄歌仙貝合
こがい
19.3×17.1
摺物

Katsushika Hokusai
Genroku kasen kai awase
Kogai
Surimono

A19885

右 754 **葛飾北斎**
元禄歌仙貝合
（不詳）
19.3×17.2
摺物

Katsushika Hokusai
Genroku kasen kai awase
[Unidentified]
Surimono

A19865

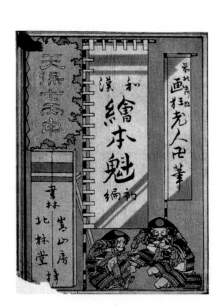

左 755 **葛飾北斎**
和漢絵本魁初編
21.2×14.5
袋絵

Katsushika Hokusai
Wakan ehon no
　sakigake shohen
Book cover

A29214

右 756 **葛飾北斎**
画本浄瑠璃絶句
18.8×14.7
袋絵

Katsushika Hokusai
Ehon jōruri zekku
　(Illustrated
　　Jōruri Quatrains)
Book cover

A29213

左 757　河鍋暁斎
（福禄寿）
35.2×24.7

Kawanabe Kyōsai
［Fukurokuju］

A2623

右 758　河鍋暁斎
（布袋川渡）
37.7×26.6

Kawanabe Kyōsai
［Hotei Crossing
a River］

A29140

左 759　河鍋暁斎
（烏）
37.6×26.2

Kawanabe Kyōsai
［Crow］

A30405

右 760　河鍋暁斎
（烏）
19.8×18.9
摺物

Kawanabe Kyōsai
［Crow］
Surimono

A27604

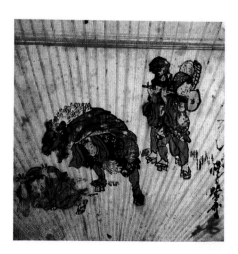

左 761　河鍋暁斎
（越後獅子）
16.8×16.9
団扇絵

Kawanabe Kyōsai
［Lion Dance］
Uchiwa-e

A27675

右 762　河鍋暁斎
（西遊記）
元治元年
37.9×25.5
三枚続の一枚

Kawanabe Kyōsai
［Journey to the West］
1864
One of a triptych

A34166

128

左 763 河鍋暁斎・歌川芳虎
書画五十三駅
武蔵川崎
明治五年
37.2×25.3

**Kawanabe Kyōsai/
Utagawa Yoshitora**
Shoga gojūsan eki
Kawasaki, Musashi
1872   A18612

右 764 河鍋暁斎・歌川孟斎
書画五十三駅
駿河鞠子
明治五年
37.3×25.4

**Kawanabe Kyōsai/
Utagawa Mōsai**
Shoga gojūsan eki
Mariko, Suruga
1872   A18611

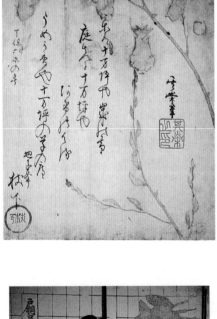

左 765 其栄
（猫柳）
天保六年
19.9×18.2
摺物

Kiei
[Pussy Willow]
1835
Surimono
          A27550

右 766 菊川英山
風流大和ならざらし
文化中期
35.6×24.7

Kikukawa Eizan
Bleaching Hemp
　Cloth at Yamato
ca. 1808-12

          A33719

左 767 菊川英山
扇屋　花扇
文化前期
36.7×25.2

Kikukawa Eizan
Hanaōgi of Ōgiya
ca. 1805-08

          A3062

右 768 菊川英山
鶴屋内　藤原
35.7×25.7

Kikukawa Eizan
Fujiwara of Tsuruya

          A3064

左 769 菊川英山
松葉屋内 代々山
36.7×25.9

Kikukawa Eizan
Yoyoyama of
Matsubaya

A3066

右 0770 菊川英山
江戸町二丁目てうじ屋内唐歌
文化九年
36.8×26.0

Kikukawa Eizan
Karauta of Chōjiya,
Edo-machi 2-chōme
1812

A3036

左 771 菊川英山
赤蔦屋内 妹背
34.6×23.2

Kikukawa Eizan
Imose of Akatsutaya

A837

右 772 菊川英山
月岡 春川
32.2×23.5

Kikukawa Eizan
Tsukioka and
Harukawa

A834

左 773 菊川英山
風流女行れつ
34.7×22.2

Kikukawa Eizan
Procession of
Elegant Women

A845

右 774 菊川英山
風流やつしみくるま引
36.6×25.8

Kikukawa Eizan
Elegant Mitate of
Kurumabiki Scene

A3080

130

左 775　菊川英山
　　　　（山姥と金太郎）
　　　　34.4×23.0

Kikukawa Eizan
［Yamauba and Kintarō］

A846

右 776　菊川英山
　　　　（花見）
　　　　32.7×22.6

Kikukawa Eizan
［Flower-Viewing］

A843

左 777　菊川英山
　　　　名物浅草土産
　　　　33.8×22.3

Kikukawa Eizan
Souvenir Specialty
　　of Asakusa

A847

右 778　菊川英山
　　　　名物大森土産
　　　　34.3×22.3

Kikukawa Eizan
Souvenir Specialty
　　of Ōmori

A840

左 779　菊川英山
　　　　青楼美人松竹梅
　　　　丸海老屋内　増花
　　　　文化後期
　　　　36.7×25.2

Kikukawa Eizan
Seirō bijin shōchikubai
Masuhana of Maruebiya
ca. 1810-15

A3059

右 780　菊川英山
　　　　青楼名君花合
　　　　丁子屋内　丁山　錦戸
　　　　39.5×26.1

Kikukawa Eizan
Seirō meikun
　　hana awase
Chōzan and Nishikido
　　of Chōjiya

A33720

左 781 菊川英山
青楼十二時
昼 辰刻 若那屋内 訓衣 袖衣
37.9×25.5

Kikukawa Eizan
Seirō jūni toki
Noon/Tatsunokoku:
 Nareginu and Sodeginu
 of Wakanaya

     A34269

右 782 菊川英山
青楼五ツ紋日
玉屋内 誰袖
36.2×23.5

Kikukawa Eizan
Seirō itsutsu monbi
Tagasode of Tamaya

     A30423

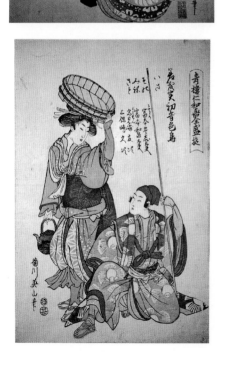

左 783 菊川英山
青楼つづき三美人
松葉屋内 瀬川
36.7×25.2

Kikukawa Eizan
Seirō tsuzuki san bijin
Segawa of Matsubaya

     A3068

右 784 菊川英山
青楼仮宅美人合
鶴屋内 大淀
36.6×24.3

Kikukawa Eizan
Seirō kataku
 bijin awase
Ōyodo of Tsuruya

     A3061

左 785 菊川英山
青楼仁和嘉全盛遊
着も実初音色鳥
36.6×24.0

Kikukawa Eizan
Seirō niwaka
 zensei asobi
Kimo minori hatsune
 no irodori
     A3090

右 786 菊川英山
青楼美人花道中
岡本屋内 しげをか
36.7×26.3

Kikukawa Eizan
Seirō bijin hanadōchū
Shigeoka of Okamotoya

     A3060

左 787 菊川英山
風流五色糸
（緑 短冊を読む女）
文化八〜九年
36.7×25.7

Kikukawa Eizan
Fūryū goshiki no ito
［Green: Woman
　　Reading a Tanzaku］
ca. 1811-12　　A3076

右 788 菊川英山
風流七小町
鸚鵡小町
36.7×25.5

Kikukawa Eizan
Fūryū nana Komachi
Ōmu Komachi

A3070

左 789 菊川英山
風流見立六歌仙
文屋康秀
34.4×23.3

Kikukawa Eizan
Fūryū mitate rokkasen
Funya no Yasuhide

A30429

右 790 菊川英山
風流長唱八景
つり狐の落雁
36.6×25.4

Kikukawa Eizan
Fūryū nagauta hakkei
Tsuri gitsune no
　　rakugan

A3074

左 791 菊川英山
風流名物土産
王子
36.1×25.3

Kikukawa Eizan
Fūryū meibutsu miyage
Ōji

A3083

右 792 菊川英山
風流忠臣蔵画兄弟
十一段目
37.9×25.5

Kikukawa Eizan
Fūryū Chūshingura
　e kyōdai
Act Eleven

A30426

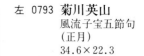

左 0793 菊川英山
風流子宝五節句
（正月）
34.6×22.3

Kikukawa Eizan
Fūryū kodakara
　gosekku
［New Year］

A836

右 794 菊川英山
風流近江八景
（矢橋帰帆）
35.8×24.8

Kikukawa Eizan
Fūryū Ōmi hakkei
［Sailboats Returning
　to Yabase］

A3058

左 795 菊川英山
当世美人十二月の内
八月
34.7×22.7

Kikukawa Eizan
Tōsei bijin
　jūni tsuki no uchi
The Eighth Month

A835

右 796 菊川英山
当世美人十二月の内
極月
34.7×22.8

Kikukawa Eizan
Tōsei bijin
　jūni tsuki no uchi
The Last Month
　of the Year
A833

左 797 菊川英山
当世俗衣染
（雨中二美人）
36.7×24.9

Kikukawa Eizan
Tōsei zoku isen
［Two Beauties
　in the Rain］

A3072

右 798 菊川英山
当世子宝合
（金魚を見る母子）
文化後期
36.6×25.2

Kikukawa Eizan
Tōsei kodakara awase
［Mother and Child
　Watching Goldfish］
ca. 1810-15　　A3078

左 799 菊川英山
諸職美内職
御影堂
36.6×24.8

Kikukawa Eizan
Shoshoku bi
　naishoku
[Fans of] Mieidō

A3077

右 800 菊川英山
妹背中合鏡
権八 小紫
36.7×25.2

Kikukawa Eizan
Imose naka awase
　kagami
Gonpachi and
　Komurasaki

A3069

左 801 菊川英山
名所合
浅草かさ屋　三勝
34.3×23.1

Kikukawa Eizan
Meisho awase
Sankatsu of Kasaya,
　Asakusa

A848

右 802 菊川英山
若三人
(文読む芸者)
35.9×24.8

Kikukawa Eizan
Waka sanjin
[Geisha Reading
　a Letter]

A3067

左 803 菊川英山
蚕養草
一
36.7×24.5

Kikukawa Eizan
Kaiko yashinai gusa
Number One

A3075

右 804 菊川英山
美人五節句
七月
35.0×23.5

Kikukawa Eizan
Bijin gosekku
The Seventh Month

A30421

左 805 菊川英山
（地口行灯）
（狆を抱く女）
文化九～十年
36.0×24.8

Kikukawa Eizan
[Jiguchi andon]
[Woman Holding
a Small Dog]
ca. 1812-13　　A3079

右 806 （菊川英山）
当風美人華尽
三味線のいとざくら
げいしや風
34.7×22.4

[**Kikukawa Eizan**]
Tōfū bijin hana zukushi
A Geisha with Shamisen
Strings Like a
Weeping Cherry Tree
A839

左 807 菊川英山
あらし山 さくら
文化年間
36.7×23.6
三枚続の一枚
Kikukawa Eizan
Cherry Blossoms
at Arashiyama
ca. 1810-15
One of a triptych
A3081

右 808 菊川英山
（杯を持つ茶屋女）
文化中期
36.8×26.4
三枚続の一枚

Kikukawa Eizan
[Teahouse Waitress
Holding a Sake Cup]
ca. 1808-12
One of a triptych　A3057

左 809 菊川英山・歌川豊国 初代
風流子供遊
（沢村源之助の大首絵を見る子）
34.8×22.4

**Kikukawa Eizan/
Utagawa Toyokuni I**
Fūryū kodomo asobi
[Child Looking at Print
of Sawamura Gennosuke]
A829

右 810 （北尾重政）
御座敷踊舞台
しほくみ
23.2×16.3

[**Kitao Shigemasa**]
Ozashiki odori butai
Shiokumi

A33714

左 811　**喜多川歌麿 初代**
扇屋内 花扇
文化初期
37.1×25.7

Kitagawa Utamaro I
Hanaōgi of Ōgiya
ca. 1806-07

A3628

右 812　**喜多川歌麿 初代**
丁子屋 雛鶴 唐琴
33.4×20.5

Kitagawa Utamaro I
Hinatsuru and
　　Karakoto of Chōjiya

A867

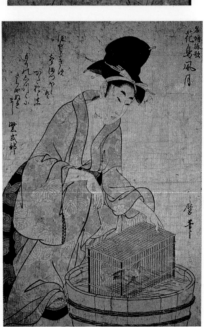

左 813　**喜多川歌麿 初代**
五節花合せ
つるや内 在原
39.0×26.0

Kitagawa Utamaro I
Gosechi hana awase
Arihara of Tsuruya

A34014

右 814　**喜多川歌麿 初代**
名婦詠歌花鳥風月
紫式部
文化初期
36.9×25.2

Kitagawa Utamaro I
Meifu eika kachō fūgetsu
Murasaki Shikibu
ca. 1804-05

A3631

左 815　**喜多川歌麿 初代**
風流六玉川
陸奥
享和年間
33.9×23.7

Kitagawa Utamaro I
Fūryū Mutamagawa
Mutsu
ca. 1801-04

A857

右 816　**喜多川歌麿 初代**
婦人手業拾二工
(機織)
寛政後期
37.8×24.6

Kitagawa Utamaro I
Fujin tewaza jūnikō
[Weaving]
ca. late 1790s

A33752

左 817　喜多川歌麿　初代
（亀の花瓶）
墨摺
35.0×22.9

Kitagawa Utamaro I
[Tortoise-shaped
　Flower Vase]
Sumizuri

A30335

右 818　喜多川歌麿　初代
（雪景山水）
墨摺
22.9×17.1

Kitagawa Utamaro I
[Snowscape]
Sumizuri

A29178

左 819　喜多川歌麿　初代
（御殿山の花見）
文化二年
36.9×25.3
三枚続の一枚

Kitagawa Utamaro I
[Flower-Viewing
　at Gotenyama]
1805/12
One of a triptych　A3646

右 820　喜多川歌麿　初代
（三保の松原道中）
寛政初期
36.9×25.0
三枚続の一枚

Kitagawa Utamaro I
[On the Road to
　Miho no Matsubara]
ca. 1790
One of a triptych　A3642

左 821　喜多川歌麿　初代
（暮の餅搗）
寛政中期
31.9×22.3
三枚続の一枚

Kitagawa Utamaro I
[Making Rice Cakes at
　the End of the Year]
ca. 1796-98
One of a triptych　A858

右 822　喜多川歌麿　初代
遊君五節生花合
玉屋内　花紫
文化二年
37.0×24.1
三枚続の一枚
Kitagawa Utamaro I
Yūkun gosetsu ikebana awase
Hanamurasaki of Tamaya
1805/12
One of a triptych　A3638

138

左 823 （喜多川歌麿 初代）
仁和嘉
乗合船
31.0×22.1

[Kitagawa Utamaro I]
Niwaka
Riding Together
　in a Boat

A852

右 824 喜多川歌麿 二代
丁字屋内 丁山
35.1×23.6

Kitagawa Utamaro II
Chōzan of Chōjiya

A884

左 825 喜多川歌麿 二代
扇屋内 瀧川
36.7×24.2

Kitagawa Utamaro II
Takigawa of Ōgiya

A33755

右 826 喜多川歌麿 二代
丁字屋内 丁山
37.0×25.5

Kitagawa Utamaro II
Chōzan of Chōjiya

A3637

左 827 喜多川歌麿 二代
松葉屋内 喜瀬川 市川
34.3×23.5

Kitagawa Utamaro II
Kisegawa and
　Ichikawa of
　Matsubaya

A30420

右 828 喜多川歌麿 二代
若松屋内 名幾
文化三年
33.2×21.8

Kitagawa Utamaro II
Meiki of Wakamatsuya
1806

A878

左 829 　**喜多川歌麿 二代**
江戸町二丁目丁字屋内 唐琴
36.6×24.1

Kitagawa Utamaro II
Karakoto of Chōjiya,
　Edo-machi 2-chōme

A3634

右 830 　**喜多川歌麿 二代**
当風七福美人
弁天
文化六年
36.6×24.2

Kitagawa Utamaro II
Tōfū shichifuku bijin
Benten
1809

A3622

左 831 　**喜多川歌麿 二代**
七変化子宝遊
春駒
文化九～十年
37.0×25.8

Kitagawa Utamaro II
Shichihenge kodakara asobi
Hobby Horse
ca. 1812-13

A3629

右 832 　**喜多川歌麿 二代**
青楼美人六花撰
岡本屋内 重岡
34.8×22.2

Kitagawa Utamaro II
Seirō bijin rokkasen
Shigeoka of Okamotoya

A883

左 833 　**喜多川歌麿 二代**
美人花角力
松葉屋 粧ひ
30.6×22.0

Kitagawa Utamaro II
Bijin hana zumō
Yosōi of Matsubaya

A886

右 834 　**喜多川歌麿 二代**
？様源氏絵合
玉屋内 花紫 夕顔
文化四年
36.9×24.6

Kitagawa Utamaro II
? Genji e-awase
Hanamurasaki/
　Yūgao of Tamaya
1807/6 　　A3635

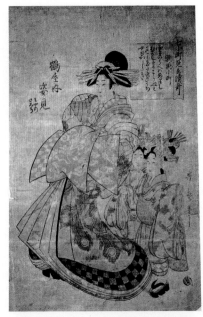

左 835　喜多川歌麿 二代
通郭盛八景
？日の晴嵐 兵庫屋内 月岡
36.6×23.7

Kitagawa Utamaro II
Kayoi kuruwa
　sakari hakkei
? no hi no seiran:
　Tsukioka of Hyōgoya
　　　　　　　A3643

右 836　喜多川歌麿 二代
七小町見立読歌
鸚鵡小町 鶴屋内 姿見
36.7×23.8

Kitagawa Utamaro II
Nana Komachi
　mitate yomiuta
Ōmu Komachi:
　Sugatami of Tsuruya
　　　　　　　A32099

左 837　喜多川歌麿 二代
七小町見立続歌
通小町 丁字屋内唐歌
34.5×22.0

Kitagawa Utamaro II
Nana Komachi
　mitate tsuzuki uta
Kayoi Komachi:
　Karauta of Chōjiya
　　　　　　　A880

右 838　喜多川歌麿 二代
比翼紋道行仕立
お妻 八郎兵衛
33.1×22.0

Kitagawa Utamaro II
Hiyokumon
　michiyuki shitate
Otsuma and Hachirōbei

　　　　　　　A863

左 839　喜多川歌麿 二代
青楼仁和嘉之遊
行列廊の花鑓
文化前期
31.5×20.9

Kitagawa Utamaro II
Seirō niwaka no asobi
Procession in
　the Gay Quarters
ca. 1805-10　　　A871

右 840　喜多川歌麿 二代？
青楼仁和嘉
田舎育女ことふれ
文化前期
32.3×22.9

Kitagawa Utamaro II ?
Seirō niwaka
Rumors of
　Country-bred Women
ca. 1804-07　　　A862

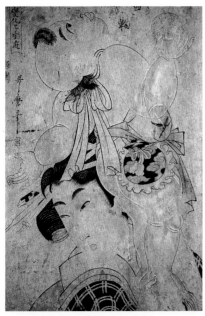

左 841　喜多川歌麿 二代
七変化子宝遊
曲鞠
36.9×25.4

Kitagawa Utamaro II
[Shichi] henge
　kodakara asobi
Playing with a Ball

A3640

右 842　喜多川歌麿 二代
子供遊四季糸勇
面子
37.0×24.6

Kitagawa Utamaro II
Kodomo asobi
　shiki shiyū
[Playing Menko]

A3641

左 843　喜多川歌麿 二代
（二）葉草七小町
おさな小町
37.0×25.0

Kitagawa Utamaro II
Futabakusa nana Komachi
Komachi and Child

A3627

右 844　喜多川歌麿 二代
美草花夕栄
扇屋内 花扇
文化前期
36.6×25.0
三枚続の一枚
Kitagawa Utamaro II
Utsukushigusa hana no yūbae
Hanaōgi of Ōgiya
ca. 1805-10
One of a triptych　A3632

左 845　喜多川歌麿 二代
（引手茶屋の花見）
文化前期
38.6×25.9
三枚続の一枚

Kitagawa Utamaro II
[Flower-Viewing
　at a Teahouse]
ca. 1805-10
One of a triptych　A30319

右 846　行真
（囲碁の手引き）
安政七年
18.8×13.2
絵暦

Gyōshin
[Go Instruction Manual]
1860
Egoyomi

A26986

左 847 　玉園
　　　　（西遊記）
　　　　37.5×25.5

Gyokuen
[Journey to the West]

A34167

右 848 　玉波
　　　　千葉小錦八十吉
　　　　明治三一年
　　　　36.2×24.5

Gyokuha
Konishiki Yasokichi
　of Chiba
1904/4

A34158

左 849 　叢豊丸 初代
　　　　新板化物尽
　　　　寛政～文化
　　　　34.0×15.8

Kusamura Toyomaru I
Assorted Goblins
ca. 1789-1816

A29112

右 850 　訓易
　　　　（富士）
　　　　20.2×17.9
　　　　摺物

Kun'i
[Mt. Fuji]
Surimono

A29053

左 851 　渓斎英泉
　　　　扇屋内 花扇
　　　　文政後期
　　　　35.4×24.5

Keisai Eisen
Hanaōgi of Ōgiya
ca. 1825-30

A29613

右 852 　渓斎英泉
　　　　傾城江戸方角
　　　　つ 岡本屋内 勝山
　　　　34.1×23.7

Keisai Eisen
Keisei Edo hōgaku
Tsu: Katsuyama
　of Okamotoya

A30318

左 853　溪斎英泉
十二ヶ月の内
十二月年の暮
24.5×17.9

Keisai Eisen
Jūnikkagetsu no uchi
The End of
　the Twelfth Month

A33724

右 854　溪斎英泉
浮世四十八癖
爪引の潮来節ハあだものの癖
35.9×24.8

Keisai Eisen
Ukiyo shijūhachi heki
Singing Ballads to the Tune
　of the Shamisen is a
　Custom of Coquettish
　Women

A30419

左 855　溪斎英泉
今様美人競
（芸者と富士の絵）
32.9×21.2

Keisai Eisen
Imayō bijin kurabe
[Geisha and Print
　of Mt. Fuji]

A29617

右 856　溪斎英泉
当世点眼鏡
神田明神
文政前期
34.6×22.0

Keisai Eisen
Tōsei tengankyō
Kanda Myōjin
ca. 1818-21

A29601

左 857　溪斎英泉
（美人東海道）
見附駅　廿九
天保前期
34.2×22.1

Keisai Eisen
[Bijin Tōkaidō]
Mitsuke Station:
　Twenty-nine
ca. 1830-35　　　A29614

右 858　溪斎英泉
（凧と扇）
20.7×18.1
摺物

Keisai Eisen
[Kite and Folding Fan]
Surimono

A19872

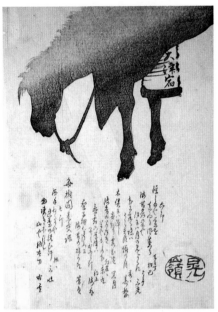

左 859 　晃嶺
大津宿
21.9×15.0
摺物

Kōrei
Ōtsu Inn
Surimono

A27571

右 860 　古邨
（五位鷺）
36.7×19.3

Koson
[Blue Heron]

A30079

左 861 　胡蝶園春升
（琴と娘）
33.6×23.8

Kochōen Shūnshō
[Young Woman
with a Koto]

A27769

右 862 　小林清親
教導立志基
荻生徂徠
明治十九年
35.4×24.3

Kobayashi Kiyochika
Kyōdō risshi no motoi
Ogyū Sorai
1886

A4100

左 863 　小林清親
教導立志基
細川幽斎
明治十九年
37.2×25.1

Kobayashi Kiyochika
Kyōdō risshi no motoi
Hosokawa Yūsai
1886

A18682

右 864 　小林清親
日本万歳百撰百笑
奉天府の荷厄介
明治二七年
37.2×25.0

Kobayashi Kiyochika
Nippon banzai:
　Hyakusen hyakushō
A Burden in Hōtenfu
1894/12 　　　A29137

左 865 五粽亭広貞
大星由良之介
26.2×19.6
続絵の一枚

Gosōtei Hirosada
Ōboshi Yuranosuke
One of a set

A29183

右 866 五蝶亭貞升 初代
釣舟三ぶ
23.3×15.9

Gochōtei Sadamasu I
Tsuribune Sabu

A27522

左 867 五蝶亭貞升 初代
当世化粧鏡
楽屋姿 片岡我童
36.0×25.7

Gochōtei Sadamasu I
Tōsei keshō kagami
Kataoka Gadō
Applying Makeup

A34154

右 868 沢雪蕎
菊に小禽
天保頃
藍摺
31.9×22.2

Sawa Sekkyō
Chrysanthemums
and Small Bird
ca. 1830s
Aizuri   A28729

左 869 春好斎北洲
一世一代当狂言
中村歌右衛門 熊谷治郎直ざね
文政八年
36.3×25.0
Shunkōsai Hokushū
Issei ichidai atari kyōgen
Nakamura Utaemon
   in the Role of
   Kumagaya Jirō Naozane
ca. 1825   A34271

右 870 春梅斎北英
岩井紫若 女房およし
36.2×23.2

Shunbaisai Hokuei
Iwai Shijaku
   in the Role of
   Nyōbō Oyoshi

A30403

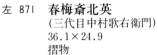

左 871 春梅斎北英
（三代目中村歌右衛門）
36.1×24.9
摺物

Shunbaisai Hokuei
[Nakamura Utaemon Ⅲ]
Surimono

A30614

右 872 松果
（蓮根と秋海棠）
19.2×17.3
摺物

Shōka
[Lotus Root
and Begonia]
Part of a surimono

A27362

左 873 昇斎一景
東京名所四十八景
（二）向島三紅亭座中
明治十六年
36.7×25.6

Shōsai Ikkei
Tokyo meisho shijūhakkei
Two: Gathering by the
Sankōtei, Mukōjima
1883   A18627

右 874 昇斎一景
東京名所四十八景
（三）筋違御門うち凧あそび
明治十六年
36.7×25.6

Shōsai Ikkei
Tokyo meisho shijūhakkei
Three: Kite Flying at
Sujichigaigomon
1883   A18616

左 875 昇斎一景
東京名所四十八景
（四）柳原写真所三階より
お茶の水遠景
明治十六年   36.6×25.6
Shōsai Ikkei
Tokyo meisho shijūhakkei
Four: Distant View of Ochanomizu
from the Third Floor of
Yanagihara Photography
Studio 1883   A18631

右 876 昇斎一景
東京名所四十八景
（五）神田明神社内年乃市
明治十六年
36.7×25.6

Shōsai Ikkei
Tokyo meisho shijūhakkei
Five: Year-end Fair at
Kanda Myōjin Shrine
1883   A18635

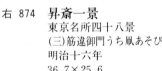

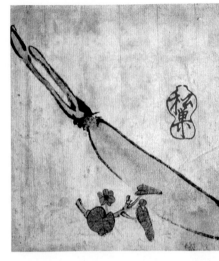

147

左 877 **昇斎一景**
東京名所四十八景
（六）上野黒門前花見連
明治十六年
36.7×25.6

Shōsai Ikkei
Tokyo meisho shijūhakkei
Six: Crowds of Flower Viewers
in Front of the Ueno Kuromon
1883　　　　　　A18614

右 878 **昇斎一景**
東京名所四十八景
（七）不忍弁天はす取
明治十六年
36.7×25.6

Shōsai Ikkei
Tokyo meisho shijūhakkei
Seven: Gathering Lotuses
at Shinobazu Benten
1883　　　　　　A18618

左 879 **昇斎一景**
東京名所四十八景
（八）谷中諏訪乃社廿六夜まち
明治十六年
36.8×25.7

Shōsai Ikkei
Tokyo meisho shijūhakkei
Eight: Yanaka
Suwa Shrine Festival
1883　　　　　　A18626

右 0880 **昇斎一景**
東京名所四十八景
（十六）三谷堀今戸ばし夕立
明治十六年
36.7×25.8

Shōsai Ikkei
Tokyo meisho shijūhakkei
Sixteen: Sudden Shower at
Imado Bridge, San'yabori
1883　　　　　　A18628

左 881 **昇斎一景**
東京名所四十八景
（十七）浅草観世音雪中
明治十六年
36.4×25.7

Shōsai Ikkei
Tokyo meisho shijūhakkei
Seventeen: Asakusa Kanzeon
Temple in the Snow
1883　　　　　　A18613

右 882 **昇斎一景**
東京名所四十八景
（二十五）亀井戸天神
明治十六年
36.6×25.7

Shōsai Ikkei
Tokyo meisho shijūhakkei
Twenty-five: Kameido Tenjin
1883

A18615

148

左 883　昇斎一景
東京名所四十八景
（二十六）洲崎乃汐干
明治十六年
36.8×25.7

Shōsai Ikkei
Tokyo meisho shijūhakkei
Twenty-six:
Ebb Tide at Suzaki
1883　　　　A18636

右 884　昇斎一景
東京名所四十八景
（二十八）本所三つ目橋
　　　より一ツ目遠景
明治十六年
36.4×25.6
Shōsai Ikkei
Tokyo meisho shijūhakkei
Twenty-eight: Distant View
　　from Honjo Mitsume Bridge
1883　　　　A18629

左 885　昇斎一景
東京名所四十八景
（二十九）本所割下水
明治十六年
36.7×25.7

Shōsai Ikkei
Tokyo meisho shijūhakkei
Twenty-nine: Drainage
Ditch at Honjo
1883　　　　A18623

右 886　昇斎一景
東京名所四十八景
（三十一）大川ばた百本杭
明治十六年
36.7×25.6

Shōsai Ikkei
Tokyo meisho shijūhakkei
Thirty-one: One Hundred
　　Posts Along the Ōkawa
1883　　　　A18619

左 887　昇斎一景
東京名所四十八景
（三十二）両国乃花火
明治十六年
36.8×25.7

Shōsai Ikkei
Tokyo meisho shijūhakkei
Thirty-two: Fireworks
at Ryōgoku
1883　　　　A18621

右 888　昇斎一景
東京名所四十八景
（四十七）九だん坂狼火
明治十六年
36.7×25.7

Shōsai Ikkei
Tokyo meisho shijūhakkei
Forty-seven: Flares
at Kudanzaka
1883　　　　A18617

左 889 **昇斎一景**
東京名所四十八景
（？）新大橋中洲
明治十六年
36.7×25.7

Shōsai Ikkei
Tokyo meisho shijūhakkei
Landfill at Shin Ōhashi
1883

A18630

右 890 **昇斎一景**
東京名勝三十六戯撰
目録
明治五年
35.1×23.8

Shōsai Ikkei
Tokyo meisho sanjūroku gisen
Table of Contents
1872

A2595

左 891 **松児**
（虫聞）
31.1×25.0
摺物

Shōji
[Listening to Insects]
Surimono

A27330

右 892 **柴田是真**
（正月飾に鶯）
49.7×24.2

Shibata Zeshin
[Bush Warbler on
New Year's Decoration]

A29281

左 893 **真哉**
（牡丹図）
50.5×36.3

Shin'ya
[Peony]

A29284

右 894 **翠岳**
（燕）
18.5×13.1
摺物

Suigaku
[Swallow]
Surimono

A27449

150

左 895　鈴木守一
（梅に猿の腰掛）
萬延元年
19.3×18.1
摺物

Suzuki Shuitsu
[Plum Tree and Shelf Fungus]
1860
Surimono

A28724

右 896　鈴木南嶺
（萬歳）
20.3×13.8
摺物

Suzuki Nanrei
[Comic Dialogue]
Surimono

A30295

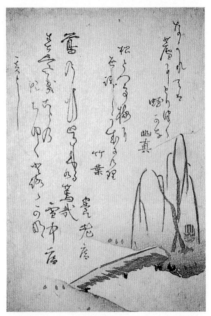

左 897　関屋鯉隠
（正月の若人）
21.7×17.8
摺物

Sekiya Riin
[Young Couple
　at New Year]
Surimono

A19284

右 898　艸古（小橋に柳）
19.6×13.2
摺物

Sōko
[Willows by
　an Old Bridge]
Surimono

A30300

左 899　鳥橋斎栄里
松葉屋内 喜瀬川
寛政中期
36.4×24.0

Chōkyōsai Eiri
Kisegawa of Matsubaya
ca. 1793-95

A3618

右 900　鳥高斎栄昌
遊君和歌三神
松葉屋染之助
寛政中期
29.9×21.3
三枚続の一枚
Chōkōsai Eishō
Yūkun waka sanjin
Somenosuke of Matsubaya
ca. 1795-97
One of a triptych　　A876

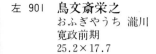

左 901 鳥文斎栄之
おふぎやうち 瀧川
寛政前期
25.2×17.7

Chōbunsai Eishi
Takigawa of Ōgiya
ca. 1791-93

A33716

右 902 鳥文斎栄之
(亀戸梅屋敷)
寛政初期
33.5×23.2

Chōbunsai Eishi
[Plum Estate at Kameido]
ca. 1790-92

A33717

左 903 鳥文斎栄之
(室内遊技)
天明末～寛政初
36.6×23.6
三枚続の一枚

Chōbunsai Eishi
[Indoor Games]
ca. 1788-90
One of a triptych
A3619

右 904 月岡芳年
一魁随筆
西塔ノ鬼若丸
明治初期
33.3×22.2

Tsukioka Yoshitoshi
Ikkai zuihitsu
Oniwakamaru of Saitō
ca. 1870

27044

左 905 月岡芳年
和漢奇談鑑
小早川左衛門尉隆景・西塔武蔵坊弁慶
明治十三年
37.1×25.0
Tsukioka Yoshitoshi
Wakan kidan kagami
Kobayakawa Saemonnojō
 Takakage/
 Saitō Musashibō Benkei
1880 A30352

右 906 月岡芳年
美人七陽華
正五位 西洞院成子
明治十一年
35.8×24.8

Tsukioka Yoshitoshi
Bijin shichi yōka
Saitōin Shigeko
1878/4

A34268

左 907 月岡芳年
吾妻絵姿烈女競
関鉄之助妾いの
37.1×25.1

Tsukioka Yoshitoshi
Azuma esugata
    retsujo kurabe
Seki Tetsunosuke's
    Concubine Ino
                        A34159

右 908 月岡芳年
名誉八行之内
仁 小松内大臣重盛
明治十一年
36.9×24.8

Tsukioka Yoshitoshi
Meiyo hakkō no uchi
Benevolence: Komatsu
    Naidaijin Shigemori
1878/1/10   A34160

左 909 月岡芳年
風俗三十二相
みたさう
明治二一年
37.2×25.6

Tsukioka Yoshitoshi
Fūzoku sanjūnisō
Peeping
1888/4
                        A30356

右 910 月岡芳年
東京自慢十二ケ月
四月 亀戸の藤
明治十三年
36.5×24.8

Tsukioka Yoshitoshi
Tokyo jiman jūnikkagetsu
The Fourth Month:
    Wisteria at Kameido
1880/3   A18684

左 911 月岡芳年
東京自慢十二ケ月
五月 堀切の菖蒲
明治十三年
36.9×25.2

Tsukioka Yoshitoshi
Tokyo jiman jūnikagetsu
The Fifth Month: Irises
    at Horikiri
1880/3   A18685

右 912 月岡芳年
新形三十六怪撰
節婦の霊瀧に掛る図
明治二五年
37.0×25.3

Tsukioka Yoshitoshi
Shinkei sanjūrokkaisen
Virtuous Woman Sitting
    Under a Sacred Waterfall
1892   A18756

152

左 913 月岡芳年
新形三十六怪撰
清玄の霊桜姫を慕ふの図
明治二二年
37.2×25.3

Tsukioka Yoshitoshi
Shinkei sanjūrokkaisen
The Ghost of Seigen Pining
　for Sakurahime
1889/5/22　　　A18757

右 914 月岡芳年
金刀比羅霊験広報
第一号
明治十七年
36.4×24.4

Tsukioka Yoshitoshi
Kotohira Reigen kōhō
Number One
1884/12
　　　　　　A18690

左 915 月岡芳年
金刀比羅霊験広報
第二号
明治十六年
36.1×24.5

Tsukioka Yoshitoshi
Kotohira Reigen kōhō
Number Two
1883/8/13
　　　　　　A18693

右 916 月岡芳年
金刀比羅霊験広報
第三号
明治十七年
36.4×24.4

Tsukioka Yoshitoshi
Kotohira Reigen kōhō
Number Three
1884/12
　　　　　　A18691

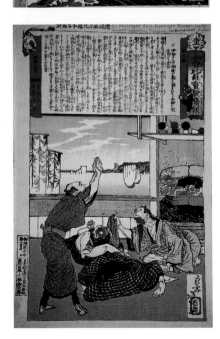

左 917 月岡芳年
金刀比羅霊験広報
第五号
明治十七年
36.4×24.4

Tsukioka Yoshitoshi
Kotohira Reigen kōhō
Number Five
1884/12
　　　　　　A18689

右 918 月岡芳年
金刀比羅霊験広報
第？号
明治十七年
36.5×24.5

Tsukioka Yoshitoshi
Kotohira Reigen kōhō
Number ?
1884/12
　　　　　　A18692

154

左 919 月岡芳年
近世人物誌
第四 徳川容姫君
34.1×23.1

Tsukioka Yoshitoshi
Kinsei jinbutsu shi
Four: Tokugawa
　Yōhimegimi

A18695

右 920 月岡芳年
近世人物誌
第五 江藤新平氏
明治二十年
36.3×24.9

Tsukioka Yoshitoshi
Kinsei jinbutsu shi
Five: Etō Shinpei
1887/2/20

A18697

左 921 月岡芳年
近世人物誌
第十一 花井お梅
明治二十年
35.3×22.7

Tsukioka Yoshitoshi
Kinsei jinbutsu shi
Eleven: Hanai Oume
1887/8/20

A4078

右 922 月岡芳年
近世人物誌
第十三 江川太郎左衛門
明治二十年
35.3×22.7

Tsukioka Yoshitoshi
Kinsei jinbutsu shi
Thirteen: Egawa Tarōzaemon
1887/10/16

A4080

左 923 月岡芳年
近世人物誌
第十六 武田耕雲斎別室時子
明治二一年
35.3×21.9

Tsukioka Yoshitoshi
Kinsei jinbutsu shi
Sixteen: Takeda Kōunsai's
　Concubine Tokiko
1888/1/20　　A4079

右 924 月岡芳年
近世人物誌
第十七 西郷隆盛
明治二一年
35.3×22.2

Tsukioka Yoshitoshi
Kinsei jinbutsu shi
Seventeen: Saigō Takamori
1888/2/24

A4081

155

左 925 月岡芳年
近世人物誌
十九 伴林六郎光平
明治二一年
36.6×25.2

Tsukioka Yoshitoshi
Kinsei jinbutsu shi
Nineteen: Tomobayashi
Rokurō Mitsuhira
1888/4/25　　A18694

右 926 月岡芳年
近世人物誌
第二十 徳川慶喜公御簾中
34.1×23.1

Tsukioka Yoshitoshi
Kinsei jinbutsu shi
Twenty: Wife of
Lord Tokugawa Keiki

A18696

左 927 月岡芳年
皇国二十四功
弼宰相春衡
明治二八年
37.6×25.1

Tsukioka Yoshitoshi
Kōkoku nijūshi kō
Haruhira
1895
A18752

右 928 月岡芳年
皇国二十四功
加藤主計頭清正
明治二六年
37.9×25.2

Tsukioka Yoshitoshi
Kōkoku nijūshi kō
Katō Kiyomasa
1893/3
A18753

左 929 月岡芳年
皇国二十四功
曽我の箱王丸
明治二六年
37.1×25.4

Tsukioka Yoshitoshi
Kōkoku nijūshi kō
Soga no Hakoōmaru
1893/3
A18754

右 930 月岡芳年
皇国二十四功
大久保彦左衛門忠教
明治二六年
37.4×25.3

Tsukioka Yoshitoshi
Kōkoku nijūshi kō
Ōkubo Hikozaemon
1893/3
A18755

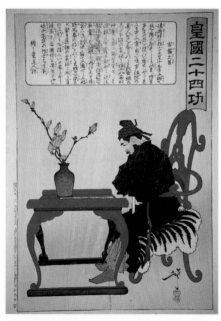

左 931 月岡芳年
皇国二十四功
信濃国の孝子善之丞
明治二六年
36.9×24.9

Tsukioka Yoshitoshi
Kōkoku nijūshi kō
Zennojō of Shinano
1893/3

A18749

右 932 月岡芳年
皇国二十四功
吉備大臣
明治二八年
37.7×25.3

Tsukioka Yoshitoshi
Kōkoku nijūshi kō
Kibi Daijin
1895

A18750

左 933 月岡芳年
皇国二十四功
和気清麻呂公
明治二八年
37.5×25.1

Tsukioka Yoshitoshi
Kōkoku nijūshi kō
Lord Wake no Kiyomaro
1895

A18751

右 934 月岡芳年
皇国二十四功
羽柴筑前守秀吉
明治二八年
37.9×25.2

Tsukioka Yoshitoshi
Kōkoku nijūshi kō
Hashiba Hideyoshi,
　　Lord of Chikuzen
1895　　　　A18748

左 935 月岡芳年
芳年武者无類
相模守北条最明寺入道時頼
明治十六年
36.0×24.8

Tsukioka Yoshitoshi
Yoshitoshi mushaburui
Hōjō Saimyōji Nyūdō
　　Tokiyori
1883/12/7　　　A18774

右 936 月岡芳年
芳年武者无類
主計頭加藤清正
明治十六年
36.4×24.6

Tsukioka Yoshitoshi
Yoshitoshi mushaburui
Katō Kiyomasa
1883/12/7

A18778

左 937 月岡芳年
芳年武者无類
野見宿祢 当麻蹴速
明治十六年
36.3×24.9

Tsukioka Yoshitoshi
Yoshitoshi mushaburui
Nomi no Sukune and
Taima no Kerihaya
1883/12/7　　A18779

右 938 月岡芳年
芳年武者无類
遠江守北条時政
明治十六年
36.6×24.8

Tsukioka Yoshitoshi
Yoshitoshi mushaburui
Hōjō Tokimasa
1883/12/7
　　　　　A18781

左 939 月岡芳年
芳年武者无類
山中鹿之助幸盛
明治十六年
36.6×24.9

Tsukioka Yoshitoshi
Yoshitoshi mushaburui
Yamanaka Shikanosuke
Yukimori
1883/12/7　　A18785

右 940 月岡芳年
芳年武者无類
平忠盛
明治十八年
36.9×25.2

Tsukioka Yoshitoshi
Yoshitoshi mushaburui
Taira no Tadamori
1885
　　　　　A18782

左 941 月岡芳年
芳年武者无類
九郎判官源義経 能登守教経
明治十九年
36.4×25.2

Tsukioka Yoshitoshi
Yoshitoshi mushaburui
Minamoto no Yoshitsune
and Noritsune
1886/10/20　　A18772

右 942 月岡芳年
芳年武者无類
船田入道義昌 左中将新田義貞
明治十九年
36.2×25.0

Tsukioka Yoshitoshi
Yoshitoshi mushaburui
Funada Yoshimasa and
Nitta Yoshisada
1886/10/20　　A18773

158

左 943　月岡芳年
芳年武者无類
木下藤吉郎
36.5×24.9

Tsukioka Yoshitoshi
Yoshitoshi mushaburui
Kinoshita Tōkichirō

A18771

右 944　月岡芳年
芳年武者无類
曽我五郎時宗 五所五郎丸
37.4×25.5

Tsukioka Yoshitoshi
Yoshitoshi mushaburui
Soga no Gorō and
　Gosho Gorōmaru

A18775

左 945　月岡芳年
芳年武者无類
日本武尊 川上？師
37.3×25.5

Tsukioka Yoshitoshi
Yoshitoshi mushaburui
Yamato Takeru and
　Kawakami ? shi

A18777

右 946　月岡芳年
芳年武者无類
相模守北条高時
36.9×25.4

Tsukioka Yoshitoshi
Yoshitoshi mushaburui
Hōjō Takatoki

A18784

左 947　月岡芳年
芳年武者无類
彈正忠松永久秀
37.5×25.5

Tsukioka Yoshitoshi
Yoshitoshi mushaburui
Matsunaga Hisahide

A18783

右 948　月岡芳年
芳年武者无類
仁田四郎忠常
37.4×25.5

Tsukioka Yoshitoshi
Yoshitoshi mushaburui
Nitta Shirō Tadatsune

A18776

159

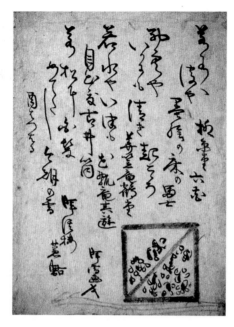

左 949 月岡芳年
芳年武者无類
相模次郎平将門
36.8×25.2

Tsukioka Yoshitoshi
Yoshitoshi mushaburui
Taira no Masakado

A18780

右 950 暉雪
（枡に豆）
19.7×13.6
摺物

Teruyuki
[Beans in Measuring
Box]
Surimono

A30297

左 951 豊原国周
花競楽屋鏡
36.4×25.0
細工絵（閉）

Toyohara Kunichika
Hana kurabe
gakuya kagami
Saiku-e (Closed)

A29743

右 951 細工絵（開）

Saiku-e (Open)

左 952 豊原国周
同三郎 市川新之助
慶応三年
36.1×24.2
三枚続の一枚

Toyohara Kunichika
Ichikawa Shinnosuke
in the Role of Dōsaburō
1867/10
One of a triptych   A34148

右 953 豊原国周
（役者絵）
明治七年
37.0×25.2
三枚続の一枚

Toyohara Kunichika
[Actor Print]
1874/11
One of a triptych
A30418

160

左 954 豊原国周
七福神宝遊
35.2×24.2

Toyohara Kunichika
Gathering of
the Seven Gods of
Good Fortune

A2622

左 955 鳥居清長
東南半花
天明前期
26.0×19.3

Torii Kiyonaga
Flowers of Tatsumi
ca. 1781-82

A30443

右 956 鳥居清峰 初代
（見立頼朝放鶴）
文化末
37.3×24.9

Torii Kiyomine I
[Mitate of Yoritomo
Releasing Cranes]
ca. 1815-18

A33721

左 957 橋本貞秀
勢州二見浦景
藍摺
22.1×16.7

Hashimoto Sadahide
View of Futamigaura,
Seishū
Aizuri

A27455

右 958 橋本周延
東風俗福づくし
美ふく
明治二二年
33.4×25.3

Hashimoto Chikanobu
Azuma fūzoku: Fuku zukushi
The Good Fortune of Beauty
1889

A30584

左 959 橋本周延
二十四孝見立画合
十四 王褒
37.2×24.8

Hashimoto Chikanobu
Nijūshi kō
mitate e-awase
Fourteen: Wang Pao

A30357

右 960 　橋本周延
雪月花
江戸
明治十七年
34.9×23.1

Hashimoto Chikanobu
Setsu gekka
Edo
1884/8/20

A30498

左 961 　橋本周延
雪月花
京都
明治十七年
34.7×23.0

Hashimoto Chikanobu
Setsu gekka
Kyoto
1884/8/20

A30500

右 962 　橋本周延
雪月花
山城
明治十七年
34.6×23.0

Hashimoto Chikanobu
Setsu gekka
Yamashiro
1884/8/20

A30496

左 963 　橋本周延
雪月花
近江
明治十七年
34.8×23.0

Hashimoto Chikanobu
Setsu gekka
Ōmi
1884/8/20

A30497

右 964 　橋本周延
雪月花
摂津
明治十七年
34.6×23.0

Hashimoto Chikanobu
Setsu gekka
Settsu
1884/8/20

A30501

左 965 　橋本周延
雪月花
大和
明治十七年
34.7×22.6

Hashimoto Chikanobu
Setsu gekka
Yamato
1884/8/20

A30493

右 966 橋本周延
雪月花
大和
明治十七年
34.8×23.0

Hashimoto Chikanobu
Setsu gekka
Yamato
1884/8/20

A30502

左 967 橋本周延
雪月花
三州
明治十七年
34.7×23.1

Hashimoto Chikanobu
Setsu gekka
Sanshū
1884/8/20

A30494

右 968 橋本周延
雪月花
肥後
明治十七年
34.4×22.4

Hashimoto Chikanobu
Setsu gekka
Higo
1884/8/20

A30495

左 969 橋本周延
九紋龍 市川団十郎
明治十九年
35.2×24.8
三枚続の一枚

Hashimoto Chikanobu
Ichikawa Danjūrō in
the Role of Kumonryū
1886/5/7
One of a triptych   A4077

右 970 （橋本周延）
歌舞伎座五月狂言
明治三四年
37.1×24.7
三枚続の一枚

[Hashimoto Chikanobu]
Kyōgen at the
Kabuki Theatre in May
1901/5
One of a triptych   A34173

左 971 （橋本周延）
歌舞伎座五月狂言
明治三四年
37.1×24.7
三枚続の一枚

[Hashimoto Chikanobu]
Kyōgen at the
Kabuki Theatre in May
1901
One of a triptych   A34174

左 972 長谷川貞信 二代
(絵馬見本)
36.9×16.9

Hasegawa Sadanobu II
[Ema Designs]

A30480

右 973 八千
(雁)
31.2×15.5

Hassen
[Descending Geese]

A27339

左 974 英一蝶
(獅子舞)
38.2×24.0

Hanabusa Itchō
[Lion Dance]

A2613

右 975 原田圭岳
(肩たたき)
24.6×16.9
摺物

Harada Keigaku
[Backrub]
Surimono

A27978

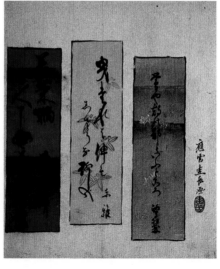

左 976 原田圭岳
(裏木戸)
20.3×18.3
摺物

Harada Keigaku
[Back Gate]
Surimono

A27274

右 977 原田圭岳
(短冊)
19.7×16.7
摺物

Harada Keigaku
[Tanzaku]
Surimono

A27254

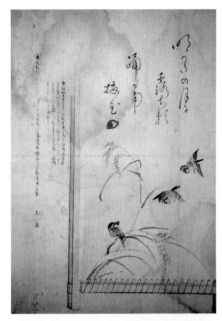

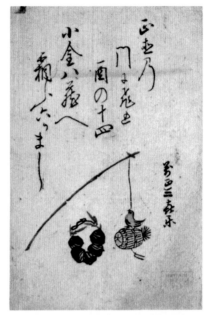

左 978 梅玉
(稲穂に雀)
33.2×24.0
摺物

Baigyoku
[Sparrows and
   Rice Husks]
Surimono

A29024

右 979 萬正三喜楽
(年の市土産)
16.0×10.2
絵暦

Banshōzō Kiraku
[Souvenirs of
   the Year-end Fair]
Egoyomi

A27757

左 980 漂洲
第一 神武天皇東征
明治二七年
37.3×25.3

Hyōshū
One:
   Emperor Jinmu's
   Eastern Expedition
1894/2

A18698

右 981 漂洲
第二 日本武尊
明治二七年
37.5×25.3

Hyōshū
Two:
   Yamato Takeru
1894/4

A18699

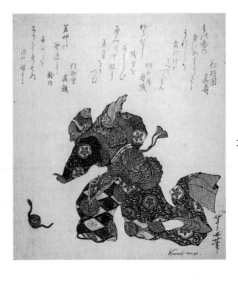

左 982 漂洲
第三 巴提使
明治二七年
37.4×25.3

Hyōshū
Three: Hateishi
1894/2

A18700

右 983 筆舟
(舞楽)
20.4×18.5
摺物

Hisshū
[Bugaku]
Surimono

A19281

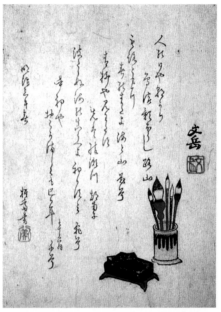

左 984 房勝
（桜下春宴）
21.2×18.2
団扇絵

Fusakatsu
［Banquet Under
　Cherry Blossoms］
Uchiwa-e

A28697

右 985 文岳
（筆と硯）
明治三年
18.9×13.0
摺物

Bungaku
［Brushes and Inkstone］
1870
Surimono

A27600

左 986 水野年方
教導立志基
大石義雄
明治二十三年
35.4×24.5

Mizuno Toshikata
Kyōdō risshi no motoi
Ōishi Yoshio
1890/7

A4101

右 987 水野年方
教導立志基
丹後局
明治二十三年
37.0×25.4

Mizuno Toshikata
Kyōdō risshi no motoi
Tango no Tsubone
1890/9

A18683

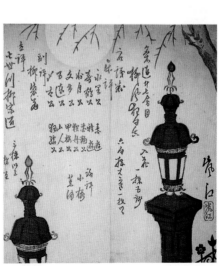

左 988 柳川重信 初代
花合 四 手始の花
20.7×18.5
摺物

Yanagawa Shigenobu I
Hana awase, Four:
　First Playing of
　Music
Surimono

A19266

右 989 嵐江
（瓦斯灯）
20.7×19.0
摺物

Rankō
［Gas Lanterns］
Surimono

A27356

左 990 **柳斎重春**
高木治郎太夫 嵐璃寛
38.6×26.7

Ryūsai Shigeharu
Arashi Rikan
  in the Role of
  Takagi Jirō Dayū

A34147

右 991 **柳斎重春**
（三代目中村歌右衛門）
36.5×23.3

Ryūsai Shigeharu
[Nakamura
  Utaemon Ⅲ]

A28754

左 992 **柳々居辰斎**
（的射）
20.7×18.5
摺物

Ryūryūkyo Shinsai
[Target]
Surimono

A19878

右 993 **悋堂？**
（柳）
明治五年
17.8×16.3
摺物

Rindō?
[Willow]
1872
Surimono

A27770

左 994 **不詳**
（松に雷鳥）
墨摺
37.1×27.8

Unidentified
[Snow Grouse and
  Pine]
Sumizuri

A26877

右 995 **不詳**
（絵見本）
36.9×16.9

Unidentified
[Painting Designs]

A30479

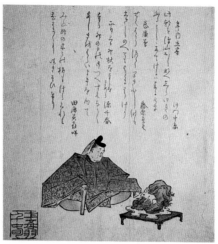

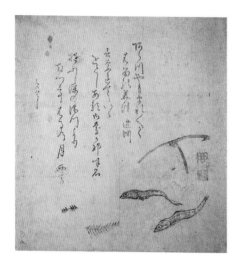

左 996　不詳
（川魚）
19.7×18.5
摺物

Unidentified
[Fresh-water Fish]
Surimono

A27527

右 997　不詳
（盆石の鑑賞）
21.0×18.2
摺物

Unidentified
[Admiring Bonseki]
Surimono

A27235

左 998　不詳
（枯木）
18.6×11.7
摺物

Unidentified
[Old Tree]
Surimono

A27830

右 999　不詳
（女暫）
19.8×17.7
摺物

Unidentified
[Female Shibaraku]
Surimono

A19285

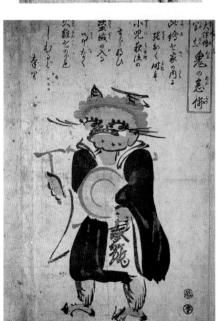

左 1000　無款
大津絵写真鬼の念仏
慶応三年
35.1×24.2

Anonymous
Copy of Ōtsu-e,
　Demon's Invocation
1867/2

A27224

右 1001　無款
風流花見の戯
36.5×24.8

Anonymous
[Dalliance at an
　Elegant
　Flower-Viewing]

A29725

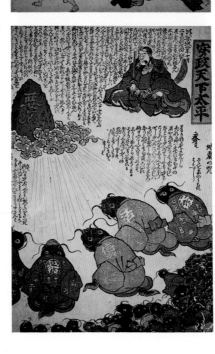

左 1002 **無款**
大一座　葉唄の三会
35.5×24.5

Anonymous
Hauta Gathering

A29447

右 1003 **無款**
鹿島恐
安政二年頃
35.3×24.9

Anonymous
Kashima Dance
ca. 1855

A2612

左 1004 **無款**
こしをしの図
35.2×24.5

Anonymous
Pictures of
　Bolstering

A2618

右 1005 **無款**
豊年の狂画
36.7×25.0
三枚続の一枚

Anonymous
Abundance of
　Imagination
One of a triptych

A29724

左 1006 **無款**
当世三筋のたのしみ
35.6×24.9
二枚続の一枚

Anonymous
The Pleasure of
　Present-day
　Shamisen Music
One of a diptych
A29449

右 1007 **無款**
安政天下太平
安政二年
35.2×25.1
二枚続の一枚

Anonymous
Peace in the Land
　During the Ansei Era
1855
One of a diptych　A2609

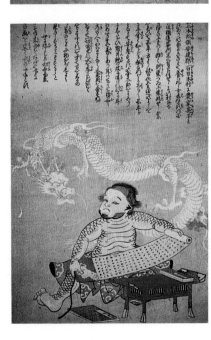

左 1008 **無款**
当世宝の住かへ
35.7×24.7
二枚続の一枚

Anonymous
The Running Away
of Present-day
Riches
One of a diptych
A29442

右 1009 **無款**
子供遊端午の？
35.5×24.5
二枚続の一枚

Anonymous
Children Playing
on Boy's Day
One of a diptych

A29490

左 1010 **無款**
(子供のあそび さつきの戯)
35.6×24.9
二枚続の一枚

Anonymous
[Children Playing:
Mischief on
Boy's Day]
One of a diptych
A29453

右 1011 **無款**
(掛詞遊)
35.7×24.7
二枚続の一枚

Anonymous
[Playing with
Words]
One of a diptych

A29444

左 1012 **無款**
(盲人の喧嘩)
35.7×25.1
三枚続の一枚

Anonymous
[Blind Men's
Quarrel]
One of a triptych

A29452

右 1013 **無款**
(龍の間の子)
34.6×23.6

Anonymous
[Half-Breed]

A2598

左 1014 無款
（都々逸 影絵）
35.6×24.9

Anonymous
［Dodoitsu: Shadow
Pictures］

A29448

右 1015 無款
（三人なまゑひ）
35.2×24.1

Anonymous
Three Drinkers'
Misery

A2617

左 1016 無款
（団扇見本 新板田舎源氏）
37.2×16.7

Anonymous
［Uchiwa Designs:
New Inaka Genji］

A30478

右 1017 無款
（掬い網）
弘化三年
8.5×7.5
絵暦

Anonymous
［Scoop Net］
1846
Egoyomi

A27382

左 1018 無款
（暦に猿）
17.2×15.0
絵暦

Anonymous
［Monkey with
Calendar］
Egoyomi

A27654

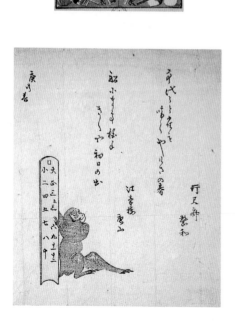

右 1019 無款
（猫と鼠）
明治二七年
25.6×18.6
大津絵版画

Anonymous
［Cat and Mouse］
1894
Ōtsu-e print

A22944

左 1020 **無款**
(張子の虎)
明治二七年
25.6×18.4
大津絵版画

Anonymous
[Paper-mache Tiger]
1894
Ōtsu-e print

A22945

右 1021 **無款**
(弁天狸)
明治二七年
25.6×18.5
大津絵版画

Anonymous
[Benten Tanuki]
1894
Ōtsu-e print

A22946

左 1022 **無款**
(馬と狐)
明治二七年
25.6×18.5
大津絵版画

Anonymous
[Horse and Fox]
1894
Ōtsu-e print

A22947

右 1023 **無款**
(寿老人と大黒の角力)
明治二七年
25.6×18.5
大津絵版画

Anonymous
[Daikoku and Jurōjin
  in a Sumō Match]
1894
Ōtsu-e print   A22948

左 1024 **無款**
(鳥の人形とでんでん太鼓)
明治二七年
25.6×18.5
大津絵版画

Anonymous
[Toy Chickens and Drum]
1894
Ōtsu-e print

A22949

右 1025 **無款**
(釣鐘と提灯と猿)
明治二七年
25.6×18.5
大津絵版画

Anonymous
[Temple Bell, Paper
  Lantern, and Monkey]
1894
Ōtsu-e print   A22950

172

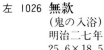

左 1026 **無款**
（鬼の入浴）
明治二七年
25.6×18.5
大津絵版画

Anonymous
[Demon Taking a Bath]
1894
Ōtsu-e print

A22951

右 1027 **無款**
（天狗と象の鼻比べ）
明治二七年
25.6×18.5
大津絵版画

Anonymous
[Tengu and Elephant
Comparing Noses]
1894
Ōtsu-e print　　A22953

左 1028 **無款**
（弁慶）
明治二七年
25.6×18.5
大津絵版画

Anonymous
[Benkei]
1894
Ōtsu-e print

A22952

左 1029 **無款**
（恵比寿大黒）
石版
48.2×35.0

Anonymous
[Daikoku and Ebisu]
Lithograph

A19030

左 1030 **無款**
（龍濤）
石版
47.7×35.0

Anonymous
[Dragon and Waves]
Lithograph

A19026

右 1031 **無款**
（猿廻）
寛政十二年
20.8×13.7
摺物

Anonymous
[Monkey Trainer]
1800
Surimono

A30454

左 1032 **無款**
（烏帽子）
20.7×17.8
摺物

Anonymous
［Court Noble's
Headgear］
Surimono

A30282

右 1033 **無款**
（鍾馗の幟）
12.2×8.8
絵暦

Anonymous
［Shōki Banner］
Egoyomi

A28990

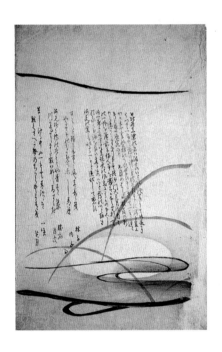

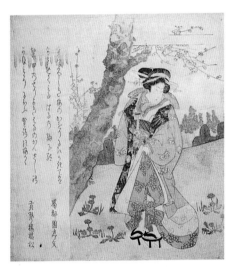

左 1034 **無款**
（水に月）
25.0×16.1
摺物

Anonymous
［Moon Reflected
in the Water］
Surimono

A27307a

右 1035 **無款**
（梅下の美人）
20.5×18.8
摺物

Anonymous
［Beauty by
a Plum Tree］
Surimono

A19268

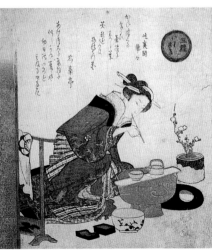

左 1036 **無款**
三婦久絵合
19.9×18.3
摺物

Anonymous
Pictures of
Three Women
Surimono

A19269

右 1037 **無款**
三猿 いはざる
20.8×18.8
摺物

Anonymous
Three Monkeys
Surimono

A19267

174

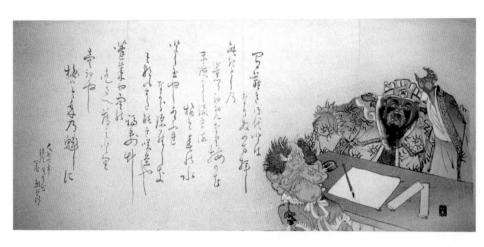

1038 安達吟光
(閻魔大王)
22.4×50.0
摺物

Adachi Ginkō
[Enma, King of Hell]
Surimono
1858/4

A30382

1039 磯野文斎
(オランダ帆船)
15.2×42.2

Isono Bunsai
[Dutch Ships]

A28707

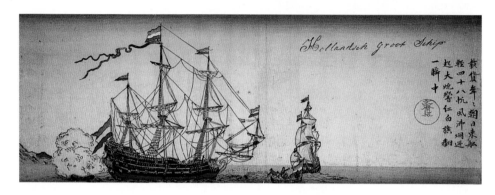

1040 歌川国明 初代
大井川之図
安政六年頃
35.0×74.9
三枚続

Utagawa Kuniaki I
Ōi River
ca. 1859
Triptych

A3947/48/49

1041 歌川国員
朝日山合戦時山氏討死
　之図
38.1×75.7
三枚続

Utagawa Kunikazu
Tokiyama's Death
　During the
　Asahiyama Battle
Triptych

A23678～80

1042 歌川国貞 初代
　松王丸　市川海老蔵、梅王丸
　　嵐吉三郎、桜丸　沢村訥升
　35.3×70.0
　三枚続

Utagawa Kunisada I
Ichikawa Ebizō in the
　Role of Matsuōmaru/
　Arashi Kichisaburō in
　the Role of Umeōmaru/
　Sawamura Toshishō in
　the Role of Sakuramaru
Triptych

A33538～40

1043 歌川国貞 初代
　二の瀬ノ源　沢村訥升、義
　　太夫語竹房　尾上栄三
　　郎、？の安　市川海老蔵
　各35.4×各23.7
　三枚続

Utagawa Kunisada I
Sawamura Toshishō in
　the Role of Ninose no
　Gen/Onoe Eizaburō in
　the Role of Gidayū
　Gatari Takefusa/
　Ichikawa Ebizō in the
　Role of ? no Yasu
Triptych

A33577～9

1044 歌川国貞 初代
　市川海老蔵、芸者小糸
　　尾上栄三郎、おまつ
　　り佐七　尾上菊五郎
　各35.3×各24.1
　三枚続

Utagawa Kunisada I
Ichikawa Ebizō in the
　Role of ?/Onoe
　Eizaburō in the Role
　of Geisha Koito/
　Onoe Kikugorō in
　the Role of
　Omatsuri Sashichi
Triptych

A33553～5

1045 歌川国貞 初代
　芸者おしゅん　尾上栄三
　　郎、白藤源太　市川海老
　　蔵、井筒屋伝兵衛　沢村
　　訥升
　各35.6×各23.8
　三枚続

Utagawa Kunisada I
Onoe Eizaburō in the Role
　of Geisha Oshun/Ichikawa
　Ebizō in the Role of
　Shirafuji Genta/Sawamura
　Toshishō in the Role of
　Izutsuya Denbei
Triptych

A33562～4

1046 歌川国貞 初代
女房お房　岩井杜若、神原佐
五郎　市川九蔵、本町綱五
郎　市川海老蔵
各35.5×各23.5
三枚続

Utagawa Kunisada I
Iwai Tojaku in the Role
of Nyōbō Ofusa/
Ichikawa Kyūzō in the
Role of Kanbara
Sagorō/Ichikawa Ebizō
in the Role of Honchō
Tsunagorō
Triptych

A33565~7

1047 歌川国貞 初代
水茶屋おべん　岩井杜若、?
市川海老蔵、丸屋伊之介
沢村訥升
各35.5×各24.5
三枚続

Utagawa Kunisada I
Iwai Tojaku in the Role
of Mizuchaya Oben/
Ichikawa Ebizō in the
Role of ?/Sawamura
Toshishō in the Role
of Maruya Inosuke
Triptych

A33571~3

1048 歌川国貞 初代
雷のお鳴　瀬川菊之丞、
崇徳院　沢村源之助、
悪の源太　市川団十
郎
各35.3×各25.8
三枚続

Utagawa Kunisada I
Segawa Kikunojō in the
Role of Kaminari no
Onaru/Sawamura
Gennosuke in the Role
of Sūtokuin/Ichikawa
Danjūrō in the Role of
Akuno Genta
Triptych

A33559~61

1049 歌川国貞 初代
安達が原ノばば　市川海
老蔵、恋ぎぬ　尾上栄三
郎、生駒之助　沢村訥升
各35.5×各23.6
三枚続

Utagawa Kunisada I
Ichikawa Ebizō in the
Role of Adachi no
Haranobaba/Onoe
Eizaburō in the Role
of Koiginu/Sawamura
Toshishō in the Role
of Ikomanosuke
Triptych

A33568~70

1050　歌川国貞　初代
貞任　沢村訥升、宗任
　　市川海老蔵、袖萩　沢
　　村訥升
各35.6×各24.1
三枚続

Utagawa Kunisada I
Sawamura Toshishō in
　the Role of Sadatō/
　Ichikawa Ebizō in
　the Role of Munetō/
　Sawamura Toshishō
　in the Role of ?
　Sodehagi
Triptych

A33550～2

1051　歌川国貞　初代
渡辺亘　沢村訥升、遠藤武
　者　市川海老蔵、弥平兵
　衛娘おきよ　岩井紫若
各35.4×各23.9
三枚続

Utagawa Kunisada I
Sawamura Toshishō in
　the Role of Watanabe
　no Wataru/Ichikawa
　Ebizō in the Role of
　Endō Musha/Iwai
　Shijaku in the Role of
　Yaheibei Musume
　Okiyo
Triptych
A33541～3

1052　歌川国貞　初代
安守勇蔵　嵐吉三郎、新田
梅次郎　尾上多見蔵、猟
師綱蔵　坂東彦三郎
35.3×76.7
三枚続

Utagawa Kunisada I
Arashi Kichisaburō in
　the Role of Yasumori
　Yūzō/Onoe Tamizō in
　the Role of Nitta
　Umejirō/Bandō
　Hikosaburō in the Role
　of Ryōshi Tsunazō
Triptych

A30011～3

1053　歌川国貞　初代
横ぐしおとき　下男忠
助　和泉屋多右衛門
本田の次郎親常
嘉永六年
35.5×73.1
三枚続

Utagawa Kunisada I
Yokogushi Otoki/
Genan Chūsuke/
Izumiya Taemon/
Honda no Jirō
Chikatsune
1853
Triptych

A34140～2

1054　歌川国貞　初代
岩見太郎友秀　赤松息女
　　白菊　土手ノ道哲　足
　　利次郎
弘化四年
36.3×74.7
三枚続

Utagawa Kunisada I
Iwami Tarō Tomohide/
　Akamatsu Sokujō
　Shiragiku/Dote no
　Dōtetsu/Ashikaga
　Jirō
1847-48
Triptych

A34128

1055　歌川国貞　初代
伽羅先代萩
37.1×76.0
三枚続

Utagawa Kunisada I
Meiboku sendai hagi
Triptych

A29744~6

1056　歌川国貞　初代
三条小鍛冶之まねびを
　図
弘化四年
34.3×73.6
三枚続

Utagawa Kunisada I
Sanjō Kokaji
1847
Triptych

A34049

1057　歌川国貞　初代
(阿古屋の琴責め)
嘉永四～五年
各35.5×各24.0
三枚続

Utagawa Kunisada I
[Akoya in the Koto-
　Playing Scene]
1851-52
Triptych

A33592~4

1058 歌川国貞 初代
（伽羅先代萩 御殿床
下の場）
嘉永二～三年
各35.6×各24.5
三枚続

Utagawa Kunisada I
［Scene Under the
Palace Floor from
Meiboku sendai
hagi］
1849-50
Triptych

598～9・A33600123456

1059 歌川国貞 初代
（三条小鍛冶の曽我の
対面）
天保十一年
各35.5×各23.3
三枚続

Utagawa Kunisada I
［Sanjō Kokaji's
Confrontation
with the Soga
Brothers］
1840
Triptych

A33544～6

1060 歌川国貞 初代
昔語三人若衆
35.2×75.0
三枚続

Utagawa Kunisada II
Three Dandies of
Old Tales
Triptych

A30001～3

1061 歌川国貞 初代
源氏御祝言図
35.0×73.2
三枚続

Utagawa Kunisada I
Genji's Wedding
Triptych

A3958/59/60

180

1062　歌川国貞　初代
（菅原伝授手習鑑）
（寺小屋）
各35.4×各23.7
三枚続

Utagawa Kunisada I
［Sugawara denjū
tenarai kagami:
Temple School］
Triptych

A33547〜9

1063　歌川国貞　初代
（仮名手本忠臣蔵）
（大序）
嘉永四〜五年
各35.6×各24.5
三枚続

Utagawa Kunisada I
［Kanadehon
Chūshingura:
Opening Act］
1847-48
Triptych

A33589〜91

1064　歌川国貞　初代
（仮名手本忠臣蔵）
（三段目）
嘉永四〜五年
各35.6×各24.2
三枚続

Utagawa Kunisada I
［Kanadehon
Chūshingura:
Act Three］
Triptych

1847-48

1065　歌川国貞　初代
新吉原京町一丁目角海
老屋内　藍染　みや
び　鴨緑
36.8×76.3
三枚続

Utagawa Kunisada I
Aizome, Miyabi, and
Ainare of Ebiya on
the Corner of
Kyōmachi 1-chōme,
Shin Yoshiwara
Triptych

A29731〜3

1066 歌川国貞 初代
新吉原京町壱丁目角
　海老屋内　染の助
　大井　大郎
36.8×75.8
三枚続

Utagawa Kunisada I
Somenosuke, Ōi, and
　Tairō of Ebiya on
　the Corner of
　Kyōmachi 1-chōme,
　Shin Yoshiwara
Triptych

A29734～6

1067 歌川国貞 初代
新吉原京町壱丁目角
　海老屋内　光扇
　大勢　八千代
各36.5×各25.4
三枚続

Utagawa Kunisada I
Mitsuōgi, Ōsei, and
　Yachiyo of Ebiya
　on the Corner of
　Kyōmachi 1-chōme,
　Shin Yoshiwara
Triptych

A29728～30

1068 歌川国貞 初代
夜景両国橋之涼
35.3×74.9
三枚続

Utagawa Kunisada I
Enjoying the Cool
　with Night View
　of Ryōgoku Bridge
Triptych

A29728～30

1069 歌川国貞 初代
両国夕涼之図
弘化四年
35.3×75.0
三枚続

Utagawa Kunisada I
Enjoying the Evening
　Cool at Ryōgoku
1847
Triptych

A29990～2

1070 歌川国貞 初代
高縄中春ノ景
35.0×73.4
三枚続

Utagawa Kunisada I
View of Takanawa
  in Mid-Spring
Triptych

A3980/81/82

1071 歌川国貞 初代
花鳥乗合源氏
37.0×75.2
三枚続

Utagawa Kunisada I
Genji Riding in
  Splendor
Triptych

A29750〜2

1072 歌川国貞 初代
〆能色相図
各35.4×各24.4
三枚続

Utagawa Kunisada I
Shime no iroai
  Scene
Triptych

A33556〜8

1073 歌川国貞 初代
三曲美人合
36.0×74.5
三枚続

Utagawa Kunisada I
A Trio of Women
  Musicians
Triptych

A32125

1074 歌川国貞 初代
洲崎汐干図
36.6×75.7
三枚続

Utagawa Kunisada I
Ebb Tide at
Suzaki
Triptych

A29747〜9

1075 歌川国貞 初代
御祭礼獅子之
35.3×75.8 三枚続

Utagawa Kunisada I
Lion Dance at a
Shrine Festival
Triptych

A29647〜9

1076 歌川国貞 初代
岩戸神楽ノ起顕
35.8×73.4
三枚続

Utagawa Kunisada I
The Origin of
Iwato Kagura
Triptych

A29513/14/15

1077 歌川国貞 初代
七福神寿柱建之図
35.8×73.8
三枚続

Utagawa Kunisada I
The Seven Gods of
Good Fortune
Creating a Pillar
from the
Character for
Longevity
Triptych

A29672/73/74

1078 歌川国貞 初代
日本大相撲関取
36.6×73.3
三枚続

Utagawa Kunisada I
High-ranking Sumō
Wrestlers of Japan
Triptych

A29818~20

1079 歌川国貞 初代
大津画踊尽
35.8×74.5
三枚続

Utagawa Kunisada I
Variety of Ōtsu-e
Dances
Triptych

A29587/88/89

1080 歌川国貞 初代
風流六花撰内
かほよ花
35.5×77.2
三枚続

Utagawa Kunisada I
Fūryū rokkasen no
uchi
Irises
Triptych

A30035~7

1081 歌川国貞 初代
光氏磯遊び
其貳
安政五年
36.2×74.6
三枚続

Utagawa Kunisada I
Mitsuuji iso asobi
Number Two
1858/6
Triptych

A33896~8

1082　歌川国貞　初代
四季之内
春のにぎはひ
安政元年
35.0×74.3
三枚続

Utagawa Kunisada I
Shiki no uchi
The Bustle of Spring-
　time
1854
Triptych
1858/4

1083　歌川国貞　初代
雪月花之内
ゆき
35.0×74.3
三枚続

Utagawa Kunisada I
Snow, Moon, and
　Flowers: Snow
Triptych

A3961/62/63

1084　歌川国貞　初代
月雪花のうち
月
嘉永五年
35.0×74.0
三枚続

Utagawa Kunisada I
Moon, Snow, and
　Flowers: Moon
1852/6
Triptych

A3995/96/97

1085　歌川国貞　初代
(雪遊)
35.1×75.6
三枚続

［Playing in the
　Snow］
Triptych

A30020~2

1086 歌川国貞 初代
(鞍馬の牛若丸)
35.8×74.2
三枚続

[Ushiwakamaru on
  Mt. Kurama]
Triptych

A29510/11/12

1087 歌川国貞 二代
梅蝶源氏 色紫 五節句
子供おどり睦月のたのしみ
安政五年
各36.2×各24.9

Utagawa Kunisada II
Baichō Genji Iro
  Murasaki gosekku
Pleasure of the
  First Month:
  Children Dancing
1858/3

A30571・3・4

1088 歌川国貞 二代
新吉原尾州楼仮宅
36.0×74.5
三枚続

Utagawa Kunisada II
Bishūrō in Shin
  Yoshiwara
Triptych

A30565～7

1089 歌川国貞 二代
新吉原尾州楼かり宅
36.0×74.2
三枚続

Utagawa Kunisada II
Visit to the
  Bishūrō in
  Shin Yoshiwara
Triptych

A30562～4

1090　歌川国貞 三代
（酒天童子の酒宴）
35.8×74.4
三枚続

Utagawa Kunisada III
[Banquet of Shuten
Dōji]
Triptych

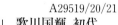
A29519/20/21

1091　歌川国輝 初代
当世美人花之賑
安政二年
各35.2×各25.1
三枚続

Utagawa Kuniteru I
Flourishing Beauties
of the Day
1855/6
Triptych

A29762〜4

1092　歌川国輝 二代
（佐藤正清出陣の図）
35.6×72.5
三枚続

Utagawa Kuniteru II
[Satō Masakiyo
Departing for
Battle]
Triptych

A3797〜9

1093　歌川国輝 二代
（力士の酒宴）
35.3×71.6
三枚続

Utagawa Kuniteru II
[Sumō Wrestlers
at a Banquet]
Triptych

A2625〜7

1094 歌川国虎 初代
源義経蝦夷渡海ノ図
35.8×74.3
三枚続

Utagawa Kunitora I
Minamoto no
  Yoshitsune
  Crossing the Sea
  to Ezo
Triptych

A3794〜6

1095 歌川国虎 初代
（神功皇后三韓征伐の
  時虎を捕らえる図）
安政三年
36.3×73.0
三枚続

Utagawa Kunitora I
Capturing Tigers
  During Empress
  Jingo's Subjugation
  of Korea
1856
Triptych

A29756〜8

1096 歌川国彦 初代・
歌川国輝 初代
花揃春の夕暮
安政二年
35.0×74.5
三枚続

Utagawa Kunihiko I/
Utagawa Kuniteru I
Flowers on a
  Spring Evening
1855/12
Triptych

A3998/3999/4000

1097 歌川国久 二代
三浦上総両介那須野九
  尾狐討取
安政五年
35.7×75.4
三枚続

Utagawa Kunihisa II
Miura Ryōsuke
  Slaying the Nine-
  tailed Fox in Nasu
1858/9
Triptych

A29498/499/500

1098　歌川国安 初代
忠臣蔵四十七騎両国揃
　退図
35.7×71.6
三枚続

Utagawa Kuniyasu I
The Forty-Seven
　Loyal Retainers
　Returning on the
　Ryōgoku Bridge
Triptych

A3779～81

1099　歌川国芳
斉藤龍興　沢村訥升、忍小僧
弥太郎　市川海老蔵、諏訪
命婦神（岩井半四郎）
各35.4×各23.3
三枚続

Utagawa Kuniyoshi
Sawamura Toshishō in the
　Role of Saitō Tatsuoki/
　Ichikawa Ebizō in the
　Role of Shinobu Kozō
　Yatarō/ [Iwai Hanshirō]
　in the Role of Suwa
　Miyōbu
Triptych

A33518～20

1100　歌川国芳
岩井紫若　市川海老蔵
岩井杜若　沢村訥升
各35.6×各23.6
三枚続

Utagawa Kuniyoshi
Iwai Shijaku/
　Ichikawa Ebizō/
　Iwai Tojaku/
　Sawamura
　Toshishō
Triptych

A33533～5

1101　歌川国芳
半時九郎兵衛　市川海老蔵、
お祭佐七　尾上菊五郎、芸
者小糸　尾上栄三郎
各36.0×各24.0
三枚続

Utagawa Kuniyoshi
Ichikawa Ebizō in the
　Role of Hantoki
　Kurōbei/Onoe
　Kikugorō in the Role of
　Omatsuri Shashichi/
　Onoe Eizaburō in the
　Role of Geisha Koito
Triptych

A33521～3

190

1102 歌川国芳
宇治常悦 しのぶ 金
江谷五郎 志賀台七
各35.5×各24.4
三枚続

Utagawa Kuniyoshi
Uji no Jōetsu/
Shinobu/Kanae
Tanigorō/Shiga no
Daishichi
Triptych

A33509〜11

1103 歌川国芳
鬼一法眼 智恵内 虎蔵
弘化四〜五年
各35.5×各24.6
三枚続

Utagawa Kuniyoshi
Kiichi Hōgen/
Chienai/Torazō
1847-48
Triptych

A33515〜7

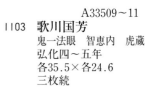

1104 歌川国芳
秋津嶋国右衛門 鬼ヶ
嶽鉄右衛門 行司庄
九郎各
35.5×各24.3
三枚続

Utagawa Kuniyoshi
Akitsushima
Kuniemon/
Onigadake
Tetsuemon/
Gyōji Shōkurō
Triptych

A33512〜4

1105 歌川国芳
仁田四郎忠常 小林の
朝比奈 十六夜 大
藤内成景
各36.5×各24.0
三枚続

Utagawa Kuniyoshi
Nita Shirō
Tadatsune/
Kobayashi no
Asahina/Izayoi/
Daitōnai Narikage
Triptych

A33530〜2

1106 歌川国芳
(仮名手本忠臣蔵)
(大序)
嘉永二〜三年
各35.4×各24.0
三枚続

Utagawa Kuniyoshi
[Kanadehon
　Chūshingura]
[Opening Act]
1849-50
Triptych

A33527〜9

1107 歌川国芳
(梅のよし兵衛、長吉を
　殺害する図)
35.2×75.1
三枚続

Utagawa Kuniyoshi
[Umeno Yoshibei
　Slaying Chōkichi]
Triptych

A29996〜8

1108 歌川国芳
(長五郎と長吉の角力)
35.3×74.8
三枚続

Utagawa Kuniyoshi
[Sumō Match of
　Chōgorō and
　Chōkichi]
Triptych

A30014〜6

1109 歌川国芳
(菅原伝授手習鑑)
弘化四年
各35.4×各24.5
三枚続

Utagawa Kuniyoshi
[Sugawara denjū
　tenarai kagami]
1847
Triptych

A33524〜6

192

1110 歌川国芳
源平合戦
35.6×75.6
三枚続

Utagawa Kuniyoshi
Battle of the Genji
and Heike
Triptych

A3809〜11

1111 歌川国芳
三国志長坂橋の図
36.8×74.0
三枚続

Utagawa Kuniyoshi
Sangokushi:
Nagasaka Bridge
Triptych

A32103

1112 歌川国芳
(海士の老松と若松が
義経に龍宮城の話を
する図)
35.2×75.6
三枚続

Utagawa Kuniyoshi
〔Ama Oimatsu and
Ama Wakamatsu
Telling Yoshitsune
the Story of the
Ryūgū Palace〕
Triptych

A30017〜9

1113 歌川国芳
(壇ノ浦の合戦)
35.2×73.3
三枚続

Utagawa Kuniyoshi
〔Battle at
Dannoura〕
Triptych

A3788〜90

1114　歌川国芳
(仁田四郎富士の巻狩図)
35.8×74.5
三枚続

Utagawa Kuniyoshi
[Nitta Shirō Hunting
　at the Foot of Mt.
　Fuji]
Triptych

A29504/05/06

1115　歌川国芳
(堀川夜討の図)
35.8×73.9
三枚続

Utagawa Kuniyoshi
[Horikawa Night
　Attack]
Triptych

A29525/26/27

1116　歌川国芳
(新田義貞と足利尊氏
　の兵庫の合戦)
35.6×75.9
三枚続

Utagawa Kuniyoshi
[Hyōgo Battle of
　Nitta Yoshisada
　and Ashikaga
　Takauji]
Triptych

A3803〜5

1117　歌川国芳
(一休和尚と町人)
35.2×74.2
三枚続

Utagawa Kuniyoshi
[Priest Ikkyū and
　Townspeople]
Triptych

A2628〜30

194

1118 歌川国芳
娘御目見図
35.1×71.3
三枚続

Utagawa Kuniyoshi
Maid Entering
　Service
Triptych

A30488・9・A30553

1119 歌川国芳
名誉右に無敵左甚五郎
35.8×73.8
三枚続

Utagawa Kuniyoshi
The Master Carver
　Hidari Jingorō
Triptych

A29584/85/86

1120 歌川国芳
狐の嫁入図
35.0×75.2
三枚続

Utagawa Kuniyoshi
Fox Wedding
　Procession
Triptych

A3925/26/27

1121 歌川国芳
月雪花之内 雪
35.0×74.2
三枚続

Utagawa Kuniyoshi
Moon, Snow, and
　Flowers: Snow
Triptych

A3992/93/94

1122 歌川国芳
墨田川花見
35.2×73.7
三枚続

Utagawa Kuniyoshi
Flower-Viewing
 Along the Sumida
 River
Triptych

A29644～6

1123 歌川国芳
墨田川筏渡ノ図
35.8×74.6
三枚続

Utagawa Kuniyoshi
Crossing the Sumida
 River by Raft
Triptych

A3806～8

1124 歌川国芳
橋間のすずみぶね
35.2×74.7
三枚続

Utagawa Kuniyoshi
Cooling Off in Boats
 Between Bridges
Triptych

A2998～9

1125 歌川貞重
教訓三界図会
35.8×74.8
三枚続

Utagawa Sadashige
Teachings of the
 Three Worlds
Triptych

1126 歌川（守川）周重
開扉三題ばなし
35.8×70.2
三枚続

**Utagawa Chikashige
(Morikawa)**
Telling of Three
   Legends Related
   to the Founding
   of Temples
Triptych

A29522/23/24

1127 歌川豊国 初代
（姫君の外出）
37.8×75.0
三枚続

Utagawa Toyokuni I
[Noblewomen on
   an Outing]
Triptych

A31834～6

1128 歌川豊国 初代
（扇面貼交図）
16.8×52.0

Utagawa Toyokuni I
[Miscellany of
   Fans]

A27239

1129 歌川豊信
宇治川先陣争ノ図
明治十七年
35.6×73.0
三枚続

Utagawa Toyonobu
Troops Charging
   Through the Uji
   River
1884/5/20
Triptych

A3791～3

1130 歌川豊広
　（見立鷹狩）
　37.0×74.8
　三枚続

Utagawa Toyohiro
[Mitate of a
　Hawking Party]
Triptych

A3648〜50

1131 歌川広景
　青物魚軍勢大合戦之図
　35.8×74.5
　三枚続

Utagawa Hirokage
Battle Between
　Vegetables and
　Fish
Triptych

A29507/08/09

1132 歌川広重 初代
　東海道川景大井川の図
　弘化四〜五年
　35.0×74.0
　三枚続

Utagawa Hiroshige I
Views of Tōkaidō
　Rivers: Ōi River
1847-48
Triptych

A3938/39/40

1133 歌川広重 二代
　新吉原仲之町
　安政四年
　35.4×74.4
　三枚続

Utagawa Hiroshige II
Nakanomachi in
　Shin Yoshiwara
1857/2
Triptych

A29638〜40

198

1134 歌川広重 二代
大堰川かち渡
嘉永五年
36.6×73.3
三枚続

Utagawa Hiroshige II
Wading Across the
Ōi River
1852/4
Triptych

A29753〜5

1135 歌川広重 二代
横浜巌亀楼上
36.7×72.2
三枚続

Utagawa Hiroshige II
Gankirō in
Yokohama
Triptych

A29805〜7

1136 歌川広重 三代
頼朝公行烈之図
36.8×74.7
三枚続

Utagawa Hiroshige III
Procession of Lord
Yoritomo
Triptych

A23675〜7

1137 歌川広重 三代
むつの花　子供の戯
明治元年
35.6×71.2
三枚続

Utagawa Hiroshige III
Flowers of the First
Month: Children
Playing
1868/10
Triptych

A29485〜7

1138 歌川芳員
頼光山中ニ妖怪見る図
35.5×75.3
三枚続

Utagawa Yoshikazu
Yorimitsu Watching
a Monster in the
Mountains
Triptych

A29492/93/94

1139 歌川芳員
正清公虎狩之図
35.8×73.4
三枚続

Utagawa Yoshikazu
Lord Masakiyo
Capturing Tigers
Triptych

A29501/02/03

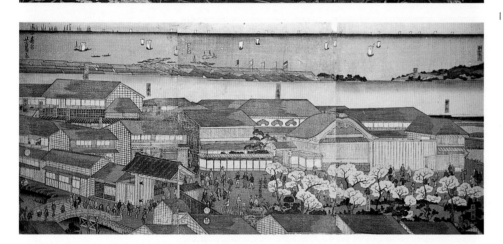

1140 歌川芳員
（横浜港崎遊廓）
31.9×70.5
三枚続

Utagawa Yoshikazu
[Pleasure Quarters in
Yokohama Bay]
Triptych

A27581

1141 歌川芳艶 初代
破奇術頼光袴垂ヲ為搦
安政五年
35.6×75.4
三枚続

Utagawa Yoshitsuya I
Yorimitsu Trying
to Capture a
Monster
1858
Triptych

A29495/96/97

1142 歌川芳艶 初代
（難波六郎龍宮城へ至
るの図）
35.7×74.8
三枚続

Utagawa Yoshitsuya I
[Nanba no Rokurō
Arriving at the
Ryūgū Palace]
Triptych

A3782~4

1143 歌川芳虎
今様げむじ
積る絵あわせ
37.0×73.7
三枚続

Utagawa Yoshitora
Modern Genji:
    Picture Contest
Triptych

A34068~70

1144 歌川芳虎
大江山鬼賊住家図
35.8×74.0
三枚続

Utagawa Yoshitora
The Home of the
    Demon Robbers
    of Ōeyama
Triptych

A29516/17/18

1145 歌川芳虎
時参不斗狐嫁入見図
万延元年
35.8×74.3
三枚続

Utagawa Yoshitora
Watching a Fox
    Wedding Procession
1860
Triptych

A29593/94/95

1146 歌川芳盛 初代
摂州須磨浦真景
慶応元年
36.2×72.0
三枚続

Utagawa Yoshimori I
True View of
Sumanoura,
Sesshū
1865/7
Triptych

A34150

1147 右田年英
堀川御所夜聚(襲)之図
明治二七年
37.1×73.6
三枚続

Uda Toshihide
Night Attack on
the Horikawa
Palace
1894/6
Triptych

18877〜9

1148 尾形月耕
日清戦争金州城追撃之図
明治二七年
36.7×73.1
三枚続

Ogata Gekkō
Pursuing the
Enemy to Kinshū
Castle During
the Sino-
Japanese War
1894
Triptych

A18645〜7

1149 落合芳幾
五ヶ国於岩亀楼酒盛の図
36.8×72.2
三枚続

Ochiai Yoshiiku
Merrymaking of
Foreigners from
Five Countries at
the Gankirō
Triptych

A29808〜10

1150　勝川春好 二代
　　　（葡萄狩）
　　　36.8×74.7
　　　三枚続

Katsukawa Shunkō II
[Picking Grapes]
Triptych

A3084〜6

1151　勝川春好 二代
　　　（浜辺の花見）
　　　19.1×48.6
　　　摺物

Katsukawa Shunkō II
[Flower-Viewing
　at the Beach]
Part of a surimono

A30387

1152　勝川春亭
　　　三十石夜船之始
　　　敵打のだん
　　　35.4×72.1
　　　三枚続

Katsukawa Shuntei
The Beginning of
　Sanjukkoku
Yobune: Revenge
　Scene
Triptych

A2635〜7

1153　河鍋暁斎
　　　恵比寿大黒
　　　明治二二年
　　　36.7×71.1
　　　三枚続

Kawanabe Kyōsai
Ebisu and Daikoku
1889/12
Triptych

A29103〜5

1154 河鍋暁斎
入増盛算
37.5×74.1
三枚続

Kawanabe Kyōsai
Pricing
Triptych

A29100/01/02

1155 河鍋暁斎
七福富士萬喜神
明治二十年
37.0×72.3
三枚続

Kawanabe Kyōsai
The Seven Gods of
Good Fortune at
the Foot of Mt.
Fuji
1887
Triptych

A18924〜6

1156 河鍋暁翠
七福神辰年之図
明治二四年
37.0×72.8
三枚続

Kawanabe Kyōsui
The Seven Gods of
Good Fortune in
the Dragon Year
1891
Triptych

A18915〜7

1157 河鍋暁斎
新板七福神八犬伝之図
明治十八年
37.2×73.6
三枚続

Kawanabe Kyōsai
New Edition of
Seven Gods of
Good Fortune/
Hakkenden
1885/12
Triptych

A18921〜3

204

1158 河鍋暁斎
暁斎百狂
どふけ百萬編
元治元年
35.8×74.8
三枚続

Kawanabe Kyōsai
Kyōsai hyakkyō
A Million Zany
 Antics
1864/3
Triptych

A29558/59/60

1159 河鍋暁斎
暁斎百狂
どうけ百萬偏
元治元年
各37.3×各25.6
三枚続の二枚

Kawanabe Kyōsai
Kyōsai hyakkyō
A Million Zany
 Antics
1864/3
Two of a triptych

A29138・9

1160 菊川英山
風流酒戯三美人
文化十一年
36.9×77.7
三枚続

Kikukawa Eizan
The Elegant Merry-
 making of Three
 Beauties
1814/8
Triptych

A3054～6

1161 菊川英山
東都吾妻橋行列
36.6×78.0
五枚続の三枚

Kikukawa Eizan
Procession on the
 Azuma Bridge,
 Edo
Three of
 a pentaptych

A3087～9

1162 喜多川歌麿 初代
於鶴岡若宮静女飄舞袖
37.6×75.3
三枚続

Kitagawa Utamaro I
[Shizuka Dancing
at Wakamiya,
Tsurugaoka]
Triptych

A31831~3
1163 喜多川歌麿 二代
？上花の宴之図
37.2×76.4
三枚続

Kitagawa Utamaro II
Flower-Viewing
Banquet
Triptych

A3609~11
1164 喜多川歌麿 二代
(墨田川夕涼)
37.2×74.6
三枚続

Kitagawa Utamaro II
[Enjoying the Eve-
ning Cool on the
Sumida River]
Triptych

A3606~8
1165 渓斎英泉
今様蛍がりの図
35.0×76.0
三枚続

Keisai Eisen
The Present Fashion
of Catching
Fireflies
Triptych

A3952/53/54

206

1166 渓斎英泉
娘行列大井川之図
35.0×74.8
三枚続

Keisai Eisen
Procession of
　Young Women
　Crossing the
　Ōi River
Triptych

A3944/45/46

1167 渓斎英泉
子供遊
35.7×76.2
三枚続

Keisai Eisen
Children Playing
Triptych

A29477〜9

1168 渓斎英泉
(松に鶴亀)
19.2×53.5
摺物

Keisai Eisen
[Crane, Tortoise,
　and Pine]
Part of a surimono

A30388

1169 小林清親
(荘吾渡し場の図)
明治十七年
35.4×69.0
三枚続

Kobayashi Kiyochika
[Sōgo at the Ferry
　Boat Landing]
1884/2
Triptych

A4082〜4

1170 真斎年季
福神戯之図
明治二十年
36.8×70.7
三枚続

Shinsai Toshisue
The Seven Gods of
　Good Fortune at
　Play
1887/12
Triptych

A18918〜20

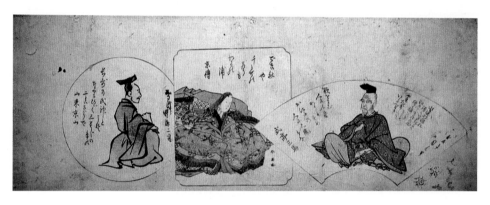

1171 泉守一・勝川春英・
堤孫二
（見立三歌人）
19.4×53.0
摺物

Izumi Morikazu/
Katsukawa
**　Shun'ei/**
Tsutsumi Magoji
[Mitate of Three
　Waka Poets]
Surimono

A30385

1172 丹頂
（橋に朝日）
19.1×53.7
摺物

Tanchō
[Sun Rising Over
　a Bridge]
Part of a surimono

A30381

1173 月岡芳年
於吹島之館直之
　古狸退治図
35.7×73.6
三枚続

Tsukioka Yoshitoshi
Naoyuki's
　Subjugation of
　an Old Tanuki
　at Fukushima
　Mansion
Triptych

A18686〜8

1174 月岡芳年
里見八犬伝之内
葛飾合戦
37.1×73.4
三枚続

Tsukioka Yoshitoshi
Katsushika Battle
Scene from the
Satomi Hakkenden
Triptych

A23669～71

1175 月岡芳年
大日本史略図絵
第十五代　神功皇后
明治十二年
35.4×71.6
三枚続

Tsukioka Yoshitoshi
Dai Nihon shiryaku
zue
The Fifteenth:
Empress Jingō
1879/4
Triptych

A4088～90

1176 月岡芳年
大日本史略図絵
第八十壱代　高倉天皇
明治十三年
35.4×72.1
三枚続

Tsukioka Yoshitoshi
Dai Nihon shiryaku
zue
The Eighty-first:
Emperor
Takakura
1880/4
Triptych

A4085～87

1177 年章
大田道灌山吹の里
明治三十年
37.3×74.0
三枚続

Toshiaki
Ōtadōkan Visiting
a Country House
with Blooming
Kerria
1897/1
Triptych

A18909～11

1178 豊原国周
常盤御前　坂東三津五郎、
　平ノ清盛　中村芝翫、
　判官盛次　市川九蔵
36.4×73.0
三枚続

Toyohara Kunichika
Bandō Mitsugorō in the
　Role of Tokiwa Gozen/
　Nakamura Shikan in the
　Role of Taira no
　Kiyomori/ Ichikawa
　Kyūzō in the Role of
　Hangan Moritsugu
Triptych

A23737～9

1179 豊原国周
三韓征伐
万延元年
34.5×70.4
三枚続

Toyohara Kunichika
Subjugation of
　Korea
1860/8
Triptych

A3800～2

1180 橋本貞秀
富士の裾野巻狩之図
36.3×72.9
三枚続

Hashimoto Sadahide
Hunting at the
　Foot of Mt.Fuji
Triptych

A30377～9

1181 橋本貞秀
（汐干狩）
35.4×74.7
三枚続

Hashimoto Sadahide
[Gathering
　Shellfish]
Triptych

A29641～3

1182　橋本周延
常盤雪行之図
明治三一年
37.4×73.4
三枚続

Hashimoto Chikanobu
Tokiwa's Journey
　in the Snow
1898/8
Triptych

A18912～4

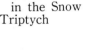

1183　橋本周延
隅田堤の雪景
35.0×71.2
三枚続

Hashimoto Chikanobu
Sumida Riverbank
　in the Snow
Triptych

A4018/19/20

1184　橋本周延
千代田の大奥
神田祭礼上覧
明治二八年
各37.5×各25.5
三枚続

Hashimoto Chikanobu
Chiyoda no ōoku
Imperial Visit to a
　Festival at Kanda
1895/10
Triptych

A30490～2

1185　長谷川小信　二代
大阪府鉄道寮ステン所之図
37.2×73.8
三枚続

Hasegawa Konobu II
Ōsaka Railroad
　Station
Triptych

A23672～4

211

1186 長谷川貞信 二代
長谷川小信 二代
加藤朝鮮攻航図
35.7×70.1
三枚続

Hasegawa Sadanobu II
Hasegawa Konobu II
Katō's Invasion of
　Korea
Triptych

A3785〜7

1187 長谷川貞信 二代
神戸名所
鉄道蒸気車之図
16.7×37.5

Hasegawa Sadanobu II
Kōbe meisho
Steam Locomotive

A30482

1188 長谷川貞信 二代
浪花十二景之内
鉄道寮蒸気車
17.2×37.6

Hasegawa Sadanobu II
Naniwa jūnikei no uchi
Steam Locomotive at
　a Train Station

A30481

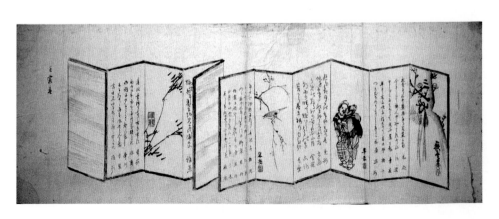

1189 米岳・華岳ほか
（屏風書画）
明治三五年
20.3×53.0
摺物

Beigaku and others
[Screens with Calligra-
　phy and Painting]
1902
Surimono

A30384

1190 望斎秀月
尼子武勇伝
明治十八年
各35.0×各24.5
三枚続

Bōsai Shūgetsu
Heroic Episodes of
Amako
1885
Triptych

A18871～3

1191 三嶋蕉窓
清兵之愚計爆裂弾之虎
明治二八年
各39.0×各73.8
六枚続

Mishima Shōsō
The Ch'ing Army's
Foolish Plan of
Using Tigers as
Weapons
1895
Set of six

A23380～5

1191

1192 楊斎延一
楠公忠臣鷺池平九郎狭
谷間池蝮蝎を退治ス
明治二五年
36.9×72.1
三枚続

Yōsai Nobukazu
Nanko Chūshin
Sagiike Heikurō
Subduing a Viper
at Hazama Pond
1892
Triptych

A18874～6

1193 好寅
見立七福揃
安政五年
35.8×74.1
三枚続

Yoshitora
Mitate of the
  Seven Gods of
  Good Fortune
1858/3
Triptych

A29575/76/77

1194 不詳
（春興摺物）
16.9×47.2
摺物

Unidentified
[New Year's
  Surimono]
Surimono

A28993/97

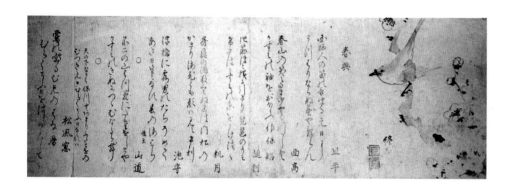

1195 不詳
（還暦摺物）
18.2×51.0
摺物

Unidentified
[Surimono
  Celebrating a
  Sixtieth Birthday]
Surimono

A30383

1196 無款
新宮魚勝戦
35.8×73.7
三枚続

Anonymous
Battle of Fishes
Triptych

A29545/46/47

214

1197 無款
(鮑採)
錦絵摺物
19.0×41.0

Anonymous
[Gathering
Abalone]
Surimono

A30407

1198 無款
(大松に朝日)
17.5×53.6
摺物

Anonymous
[Large Pine and
Rising Sun]
Part of
a Surimono

A6536

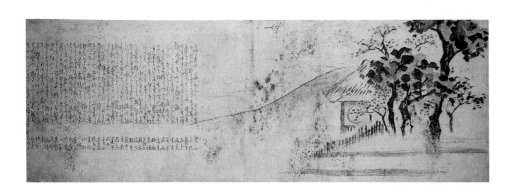

1199 無款
(田舎家)
12.9×37.3
摺物

Anonymous
[Rural House]
Surimono

A27305

1200　飯島光峩
　　　（小槌と袋）
　　　明治二一年
　　　34.0×6.3
　　　短冊

Iijima Kōga
[Daikoku's Mallet and
　　Hotei's Bag]
1888
Tanzaku　　　A27714

1201　歌川国長
　　　（福禄寿）
　　　35.2×7.7
　　　短冊

Utagawa Kuninaga
[Fukurokuju]
Tanzaku

　　　　　　　　A30330

1202　歌川国丸
　　　扇屋内　花扇　多美野
　　　59.0×9.9
　　　柱絵

Utagawa Kunimaru
Hanaōgi and Tamino
　of Ōgiya
Pillar print

　　　　　　　　A33874

1203　葛飾北斎
　　　しんぱんゑぞうし
　　　35.1×6.2
　　　短冊

Katsushika Hokusai
New Picture
Tanzaku

　　　　　　　　A30624

1204　葛飾北斎
　　　（瓦職人）
　　　35.1×6.5
　　　短冊

Katsushika Hokusai
[Tile Maker]
Tanzaku

　　　　　　　　A30625

1205　葛飾北斎
　　　（唄初め）
　　　35.1×6.4
　　　短冊

Katsushika Hokusai
[First Song of
　　the New Year]
Tanzaku

　　　　　　　　A6502

1206　葛飾北斎
　　　（武志士）
　　　35.1×6.2
　　　短冊

Katsushika Hokusai
[Bushishi]
Tanzaku

　　　　　　　　A30623

1207　葛飾北斎
　　　（桜下の馬）
　　　35.1×6.4
　　　短冊

Katsushika Hokusai
[Horses Under a
　　Blossoming
　　Cherry Tree]
Tanzaku
　　　　　　　　A30626

216

1208 菊川英山
(鷹と男女)
58.8×9.6
柱絵

Kikukawa Eizan
[Man and Woman
  with Hawks]
Pillar print

A30634

1209 菊川英山
おちよ　半兵衛
58.7×9.6
柱絵

Kikukawa Eizan
Ochiyo and Hanbei
Pillar print

A30635

1210 菊川英山
にわかきやうげん
お七　吉三郎
59.1×9.4
柱絵

Kikukawa Eizan
Oshichi and Kichisaburō in
  Niwaka Kyōgen
Pillar print

A30637

1211 菊川英山
新内尽　花咲　綱五郎
59.5×9.8
柱絵

Kikukawa Eizan
Hanasaki and
  Tsunagorō
Pillar print

A30638

1212 菊川英山
小紫　権八
60.5×10.1
柱絵

Kikukawa Eizan
Komurasaki and
  Gonpachi
Pillar print

A30639

1213 喜多川歌麿　二代？
張果老
35.1×7.5
短冊

Kitagawa Utamaro II?
Chōkarō
Tanzaku

A30329

1214 渓斎英泉
夕ぎり　伊左衛門
59.5×10.0
柱絵

Keisai Eisen
Yūgiri and Izaemon
Pillar print

A30636

1215 渓斎英泉
(傘をさす美人)
58.3×9.5
柱絵

Keisai Eisen
[Beauty with an
  Umbrella]
Pillar print

A30640

216

1216 歌川国丸
(鷹匠)
73.4×24.8
掛物絵

Utagawa Kunimaru
[Falcon Trainer]
Kakemono-e

A30627

1217 歌川芳虎
(花魁)
47.9×18.0

Utagawa Yoshitora
[Oiran]

A30389

1218 雲岱
(蓬萊飾)
万延元年
18.8×6.3
絵暦

Untai
[Mt. Hōrai Decoration]
1860
Egoyomi

A27728

1219 河鍋暁斎
(小鬼を吊るす鍾馗)
32.3×10.0

Kawanabe Kyōsai
[Shōki Dangling a Demon]

A27993

1220 菊川英山
(行灯の芯を立てる女)
72.4×24.4
掛物絵

Kikukawa Eizan
[Woman Lighting a Lantern]
Kakemono-e

A30632

1221 菊川英山
(釣燈籠で文を読む女)
69.3×22.9
掛物絵

Kikukawa Eizan
[Woman Reading a Letter
  by Lantern Light]
Kakemono-e

A30633

1222　菊川英山
（行灯看板の火を入れる茶屋女）
71.6×24.6
掛物絵

Kikukawa Eizan
[Teahouse Waitress
　Lighting a Lantern]
Kakemono-e
　　　　　　　　A30631

1223　菊川英山
（文を持つ花魁）
72.0×23.8
掛物絵

Kikukawa Eizan
[Oiran Holding a Letter]
Kakemono-e
　　　　　　　　A30629

1224　菊川英山
（懐紙をくわえた芸者）
74.2×24.6
掛物絵

Kikukawa Eizan
[Geisha with Tissue Paper
　in Her Mouth]
Kakemono-e
　　　　　　　　A30628

1225　渓斎英泉
（雪中美人）
72.0×24.8
掛物絵

Keisai Eisen
[Beauty in the Snow]
Kakemono-e
　　　　　　　　A30630

1226　楊斎延一
（月下の加藤清正）
68.6×25.0
掛物絵

Yōsai Nobukazu
[Katō Kiyomasa Under
　the Moon]
Kakemono-e
　　　　　　　　A34108

1227　楊斎延一
（母と子供）
41.7×20.5
縮緬絵

Yōsai Nobukazu
[Mother and Child]
Chirimen-e
　　　　　　　　A32093

1228　楊斎延一
（母と娘）
41.6×20.2
縮緬絵

Yōsai Nobukazu
[Mother and Daughter]
Chirimen-e

A32092

1229　無款
（光氏と美人）
50.6×33.7
縮緬絵

Anonymous
[Mitsuuji and Beauty]
Chirimen-e

A34177

1230　無款
（裁縫）
63.5×30.8
縮緬絵

Anonymous
[Sewing]
Chirimen-e

A32097

1231　無款
（不忍池遊覧）
49.5×32.3
縮緬絵

Anonymous
[Excursion to Shinobazu
　Pond]
Chirimen-e

A34178

1232　無款
（雪の船着場）
63.2×30.6
縮緬絵

Anonymous
[Snow-covered Boat Dock]
Chirimen-e

A32094

220

団扇絵
各23.2×25.1

Uchiwa-e

1233 歌川周輝
Utagawa Chikateru A19135

1234 暎巧
Eikō 明治二六年 (1893) A19214

1235 暎巧
Eikō 明治二六年 (1893) A19223

1236 暎巧
Eikō A19212

1237 応雪基春
Ōsetsu Kishun A19103

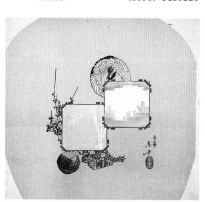

1238 景重
Kageshige A19139

1239 桂処
Keisho 明治二五年 (1892) A19099

1240 桂処
Keisho 明治二五年 (1892) A19144

1241 桂処
Keisho 明治二五年 (1892) A19150

1242 桂処
Keisho 明治二五年 (1892) A19152

1243 桂処
Keisho 明治二五年 (1892) A19153

1244 桂処
Keisho 明治二五年
(1892) A19172

1245 桂処
Keisho 明治二五年
(1892) A19175

1246 桂処
Keisho 明治二六年
(1893) A19109

1247 桂処
Keisho 明治二六年
(1893) A19160

1248 桂処
Keisho 明治二七年
(1894) A19118

1249 桂処
Keisho 明治二七年
(1894) A19193

1250 桂処
Keisho A19151

1251 桂処
Keisho A19156

1252 桂処
Keisho A19233

1253 春道
Shundō A19140

1254 つねのぶ
Tsunenobu A19229

1255 林基春 明治二五年
Hayashi Motoharu (1892) A19158

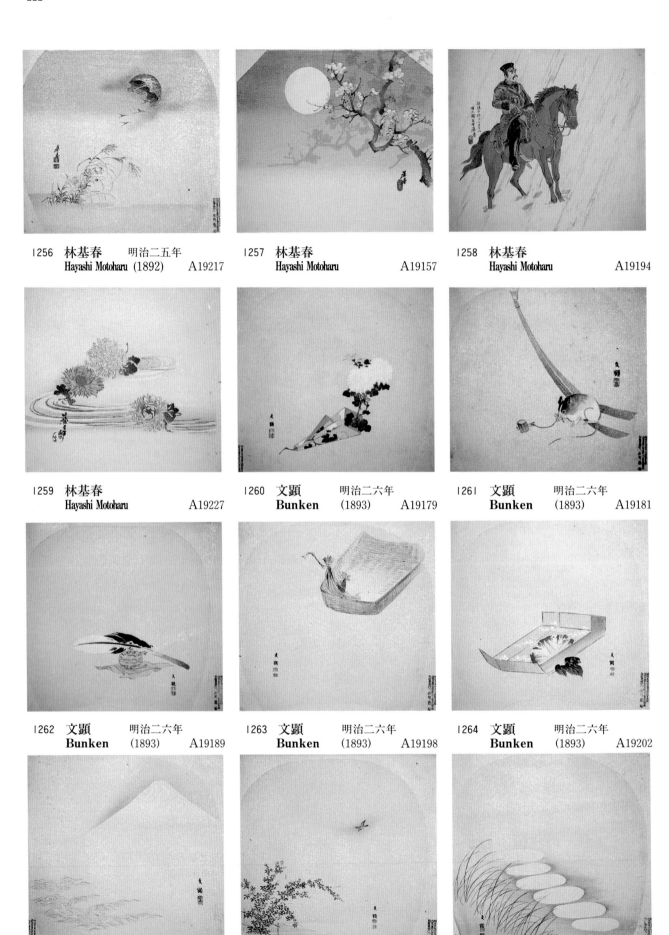

1256 林基春　明治二五年
Hayashi Motoharu (1892)　A19217

1257 林基春
Hayashi Motoharu　A19157

1258 林基春
Hayashi Motoharu　A19194

1259 林基春
Hayashi Motoharu　A19227

1260 文顕　明治二六年
Bunken (1893)　A19179

1261 文顕　明治二六年
Bunken (1893)　A19181

1262 文顕　明治二六年
Bunken (1893)　A19189

1263 文顕　明治二六年
Bunken (1893)　A19198

1264 文顕　明治二六年
Bunken (1893)　A19202

1265 文顕　明治二六年
Bunken (1893)　A19216

1266 文顕　明治二六年
Bunken (1893)　A19218

1267 文顕　明治二六年
Bunken (1893)　A19221

1268 文顕　Bunken　明治二六年　(1893)　A19228

1269 文顕　Bunken　明治二七年　(1894)　A19107

1270 文顕　Bunken　明治二七年　(1894)　A19110

1271 文顕　Bunken　明治二七年　(1894)　A19115

1272 文顕　Bunken　明治二七年　(1894)　A19119

1273 文顕　Bunken　明治二七年　(1894)　A19122

1274 文顕　Bunken　明治二七年　(1894)　A19147

1275 文顕　Bunken　明治二七年　(1894)　A19148

1276 文顕　Bunken　明治二七年　(1894)　A19163

1277 文顕　Bunken　明治二七年　(1894)　A19164

1278 文顕　Bunken　明治二七年　(1894)　A19169

1279 文顕　Bunken　明治二七年　(1894)　A19177

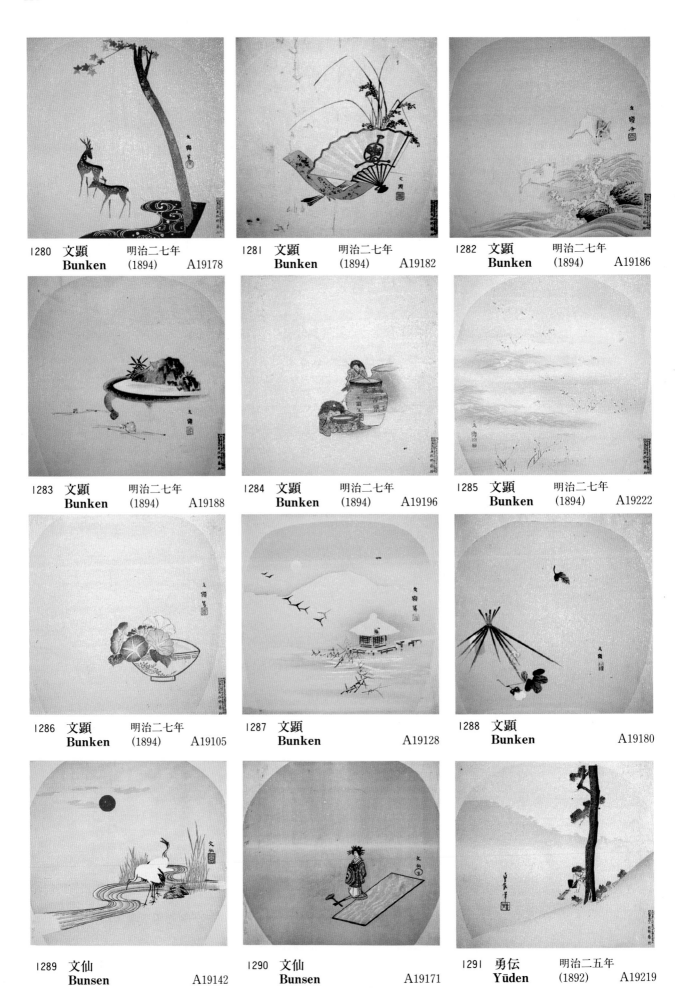

1280	文顯	明治二七年	
	Bunken	(1894)	A19178

1281	文顯	明治二七年	
	Bunken	(1894)	A19182

1282	文顯	明治二七年	
	Bunken	(1894)	A19186

1283	文顯	明治二七年	
	Bunken	(1894)	A19188

1284	文顯	明治二七年	
	Bunken	(1894)	A19196

1285	文顯	明治二七年	
	Bunken	(1894)	A19222

1286	文顯	明治二七年	
	Bunken	(1894)	A19105

1287	文顯		
	Bunken		A19128

1288	文顯		
	Bunken		A19180

1289	文仙		
	Bunsen		A19142

1290	文仙		
	Bunsen		A19171

1291	勇伝	明治二五年	
	Yūden	(1892)	A19219

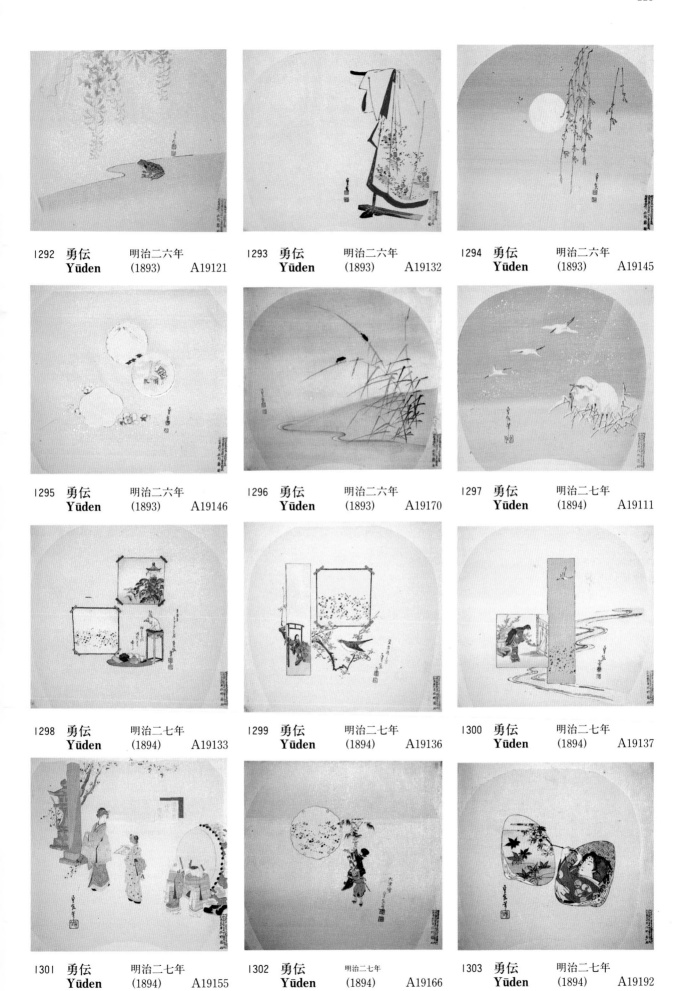

1292 勇伝 **Yūden**	明治二六年 (1893) A19121	1293 勇伝 **Yūden**	明治二六年 (1893) A19132	1294 勇伝 **Yūden**	明治二六年 (1893) A19145
1295 勇伝 **Yūden**	明治二六年 (1893) A19146	1296 勇伝 **Yūden**	明治二六年 (1893) A19170	1297 勇伝 **Yūden**	明治二七年 (1894) A19111
1298 勇伝 **Yūden**	明治二七年 (1894) A19133	1299 勇伝 **Yūden**	明治二七年 (1894) A19136	1300 勇伝 **Yūden**	明治二七年 (1894) A19137
1301 勇伝 **Yūden**	明治二七年 (1894) A19155	1302 勇伝 **Yūden**	明治二七年 (1894) A19166	1303 勇伝 **Yūden**	明治二七年 (1894) A19192

1304　勇伝　　　　　明治二七年
　　　Yūden　　　　　（1894）　　A19213

1305　勇伝　　　　　明治二七年
　　　Yūden　　　　　（1894）　　A19215

1306　勇伝　　　　　明治二七年
　　　Yūden　　　　　（1894）　　A19226

1307　勇伝
　　　Yūden　　　　　　　　　A19143

1308　勇伝
　　　Yūden　　　　　　　　　A19205

1309　湯川広光
　　　Yukawa Hiromitsu　　　A19112

1310　湯川広光
　　　Yukawa Hiromitsu　　　A19123

1311　湯川広光
　　　Yukawa Hiromitsu　　　A19129

1312　湯川広光
　　　Yukawa Hiromitsu　　　A19130

1313　湯川広光
　　　Yukawa Hiromitsu　　　A19138

1314　湯川広光
　　　Yukawa Hiromitsu　　　A19161

1315　湯川広光
　　　Yukawa Hiromitsu　　　A19162

227

1316 湯川広光
Yukawa Hiromitsu　A19167

1317 湯川広光
Yukawa Hiromitsu　A19183

1318 湯川広光
Yukawa Hiromitsu　A19184

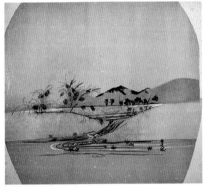

1319 湯川広光
Yukawa Hiromitsu　A19191

1320 湯川広光
Yukawa Hiromitsu　A19206

1321 湯川広光
Yukawa Hiromitsu　A19207

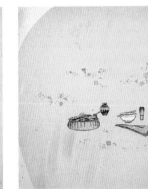

1322 湯川広光
Yukawa Hiromitsu　A19208

1323 湯川広光
Yukawa Hiromitsu　A19209

1324 湯川広光
Yukawa Hiromitsu　A19210

1325 吉見蘆月　明治二五年
Yoshimi Rogetsu (1892) A19108

1326 吉見蘆月　明治二五年
Yoshimi Rogetsu (1892) A19120

1327 吉見蘆月　明治二五年
Yoshimi Rogetsu (1892) A19127

1328　吉見蘆月　明治二五年
Yoshimi Rogetsu (1892) A19168

1329　吉見蘆月　明治二五年
Yoshimi Rogetsu (1892) A19199

1330　吉見蘆月　明治二五年
Yoshimi Rogetsu (1892) A19224

1331　吉見蘆月　明治二五年
Yoshimi Rogetsu (1892) A19098

1332　吉見蘆月　明治二五年
Yoshimi Rogetsu (1892) A19106

1333　吉見蘆月　明治二五年
Yoshimi Rogetsu (1892) A19174

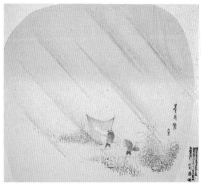

1334　吉見蘆月　明治二五年
Yoshimi Rogetsu (1892) A19225

1335　吉見蘆月　明治二六年
Yoshimi Rogetsu (1893) A19114

1336　吉見蘆月　明治二六年
Yoshimi Rogetsu (1893) A19116

1337　吉見蘆月　明治二六年
Yoshimi Rogetsu (1893) A19126

1338　吉見蘆月　明治二六年
Yoshimi Rogetsu (1893) A19149

1339　吉見蘆月　明治二六年
Yoshimi Rogetsu (1893) A19195

1340 吉見蘆月　明治二六年
Yoshimi Rogetsu (1893) A19232

1341 吉見蘆月　明治二六年
Yoshimi Rogetsu (1893) A19197

1342 吉見蘆月　明治二七年
Yoshimi Rogetsu (1894) A19231

1343 吉見蘆月
Yoshimi Rogetsu A19154

1344 吉見蘆月
Yoshimi Rogetsu A19200

1345 吉見蘆月
Yoshimi Rogetsu A19201

1346 吉見蘆月
Yoshimi Rogetsu A19165

1347 和亭
Watei A19131

1348 不詳　明治二六年
Unidentified (1893) A19185

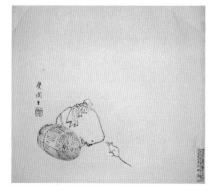

1349 不詳　明治二六年
Unidentified (1893) A19203

1350 不詳　明治二六年
Unidentified (1893) A19220

1351 不詳　明治二七年
Unidentified (1894) A19124

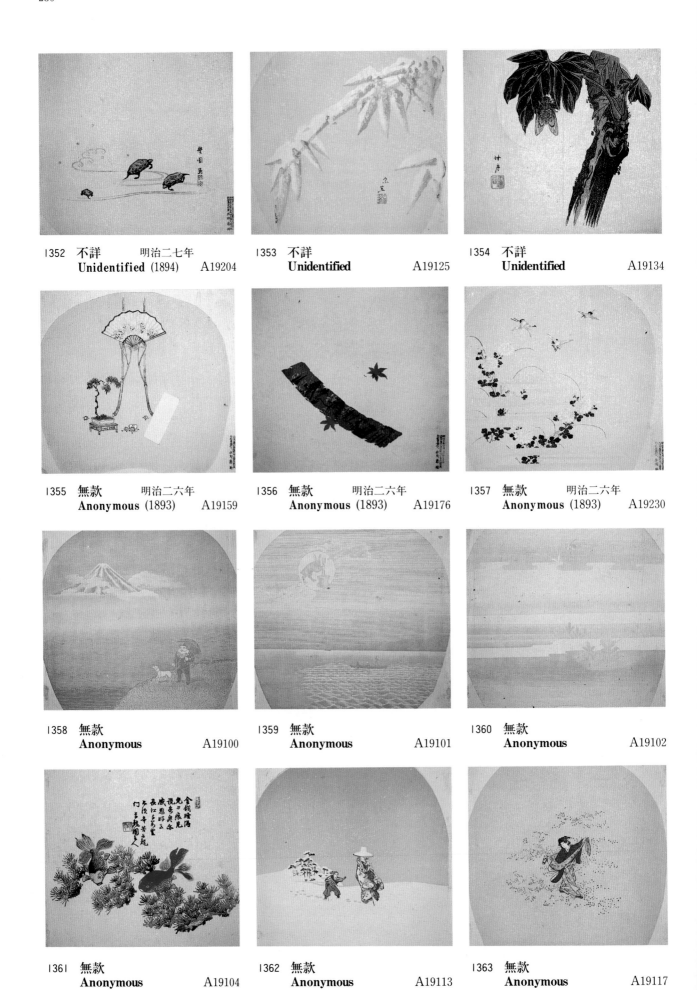

1352 不詳　　明治二七年 **Unidentified** (1894)　　A19204	1353 不詳 **Unidentified**　　A19125	1354 不詳 **Unidentified**　　A19134
1355 無款　　明治二六年 **Anonymous** (1893)　　A19159	1356 無款　　明治二六年 **Anonymous** (1893)　　A19176	1357 無款　　明治二六年 **Anonymous** (1893)　　A19230
1358 無款 **Anonymous**　　A19100	1359 無款 **Anonymous**　　A19101	1360 無款 **Anonymous**　　A19102
1361 無款 **Anonymous**　　A19104	1362 無款 **Anonymous**　　A19113	1363 無款 **Anonymous**　　A19117

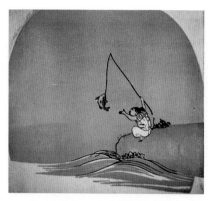

1364 無款
Anonymous A19141

1365 無款
Anonymous A19173

1366 無款
Anonymous A19187

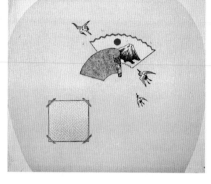

1367 無款
Anonymous A19190

1368 無款
Anonymous A19211

I369　（歌川国貞　初代）　　　　［**Utagawa Kunisada I**］
　　　（役者絵双六）　　　　　　［Actor Print Sugoroku］
　　　上り22.1×22.1、　　　　　Sugoroku
　　　　各10.9×10.9　　　　　　　　　　　　　A27661他
　　　双六

233

1370 歌川国貞 三代　　**Utagawa Kunisada III**
　　大江戸繁昌双六　　Ō Edo hanjō sugoroku
　　明治二五年　　1892/10
　　四枚一組各36.3×24.2 Sugoroku
　　双六　　　　　　　　　A23153～59

|37| 尾形月耕　　　　　　**Ogata Gekkō**
日清戦争寿語六　　　　Nisshin sensō sugoroku
明治二七年　　　　　　1894/12
二枚一組各37.6×25.1　Sugoroku
双六　　　　　　　　　　　　　A23123～29

1372　楊斎延一　　　　**Yōsai Nobukazu**
　　　古事記双六　　　　Kojiki sugoroku
　　　明治二七年　　　　1894/11
　　　四枚一組各36.7×24.0　Sugoroku
　　　双六　　　　　　　　　　　A23142〜45

1373　**小林清親**　　　**Kobayashi Kiyochika**
　　　滑稽歴史双六　　　Kokkei rekishi sugoroku
　　　明治二八年　　　1895
　　　各38.1×各25.1　　Sugoroku
　　　各六図37.2×49.9　　　　　A23146〜52

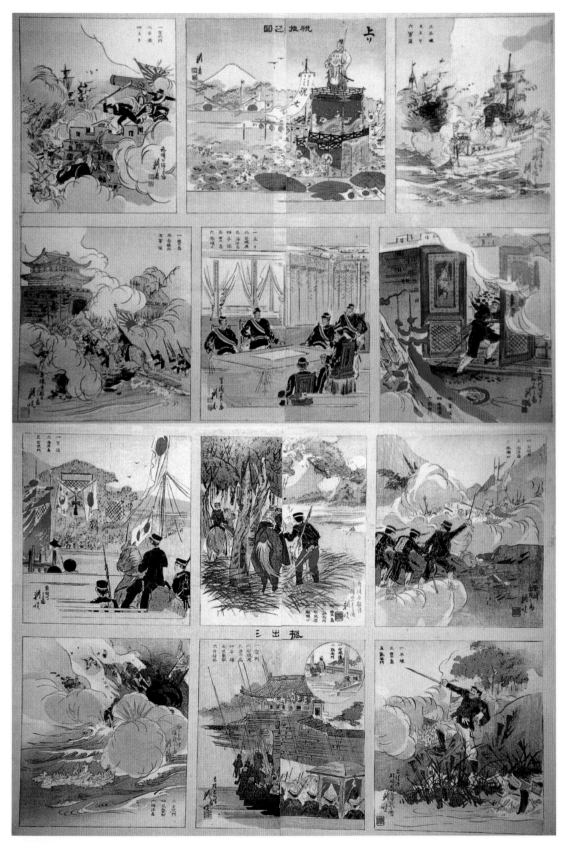

1374　耕暁・耕濤　　**Kōgyō and Kōtō**
　　日本連捷双六　　Nihon renshō sugoroku
　　各六図37.2×49.9　Sugoroku
　　双六　　　　　　　　　　A23160〜64

1375　**無款**　　　　　　　　　**Anonymous**
　　　女礼式寿語録　　　　Jorei shiki sugoroku
　　　二枚一組各35.7×24.2　Sugoroku
　　　双六　　　　　　　　　　　　　A23116〜22

絵　　画
Paintings

1376 相沢石湖
月下狸図
掛軸・紙本淡彩
134.1×40.3
Aizawa Sekko
Tanuki Under the Moon
Hanging scroll
ink and light color on paper

A30770

1377 浅井星洲
観瀑猿猴図
掛軸・絹本著色
100.0×28.8
Asai Seishū
Monkey Watching a Waterfall
Hanging scroll
ink and color on silk

A30856

1378 浅井星洲
雲龍図
掛軸・絹本墨画
128.1×39.4
Asai Seishū
Dragon in Clouds
Hanging scroll
ink on silk

A30781

1379 東東洋
雲龍図
掛軸・絹本墨画
86.7×35.8
Azuma Tōyō
Dragon in Clouds
Hanging scroll
ink on silk

A30815

1380 有阪閑斎
呂洞賓図
掛軸・絹本墨画
86.2×30.3
Arisaka Kansai
Ryodōhin
Hanging scroll
ink on silk

A30863

1381 有坂北馬二代
月下美人図
掛軸・絹本著色
90.5×34.4
Arisaka Hokuba II
Beauty Under the Moon
Hanging scroll
ink and color on silk

A30884

|382　石丸春牛
鯉図
掛軸・絹本著色
47.8×48.2
Ishimaru Shungyū
Carp
Hanging scroll
ink and color on silk

A30652

|383　一蛍
海浜水禽図
掛軸・絹本墨画
91.5×28.8
Ikkei
Waterbirds by the Seashore
Hanging scroll
ink on silk

A30852

|384　一龍舎
猿猴三番叟図
掛軸・絹本著色
90.2×34.7
Ichiryūsha
Monkey Performing Sanbasō
Hanging scroll
ink and color on silk

A30744

|385　一牛斎
雲龍図
六曲屏風一隻・紙本墨画
144.2×280.2
Ichigyūsai
Dragon in Clouds
Six-panel screen
ink on paper

A30436

1386 歌川広重 初代
「暫」の腹出し
掛軸・紙本著色
天保元年・99.3×28.4
Utagawa Hiroshige I
Comical Prelude to "Shibaraku"
Hanging scroll
ink and color on paper・1830

A30901

1387 歌川広重 二代 ＊
浜松図
掛軸・絹本著色
63.6×44.0
Utagawa Hiroshige II ＊
Hamamatsu
Hanging scroll
ink and color on silk

A30748

1388 雲崖
芦辺水鶏図
掛軸・紙本淡彩
107.3×51.0
Ungai
Water Rail and Reeds
Hanging scroll
ink and light color on paper

A30714

1389 鷗客散人
墨竹図
掛軸・紙本墨画
127.2×29.6
Ōkaku Sanjin
Ink Bamboo
Hanging scroll
ink on paper

A30900

1390 岡田鶴川
雉図
掛軸・紙本墨画淡彩
124.3×64.1
Okada Kakusen
Pheasants
Hanging scroll
ink and and light color on paper

A30974

1391 岡田鶴川
白鷹図
掛軸・絹本著色
103.1×34.3
Okada Kakusen
White Hawk on a Cliff
Hanging scroll
ink and light color on silk

A30746

244

1392　音雪冬信
遊女禿図
掛軸・紙本著色
64.6×24.5
Otoyuki Fuyunobu
Courtesan and Attendant
Hanging scroll
ink and color on paper

A30933

1393　香川芳園
燕図
掛軸・絖本墨画淡彩
92.4×27.5
Kagawa Hōen
Swallows
Hanging scroll
ink and light color on satin

A30913

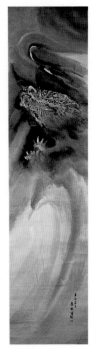

1394　華挙
雲龍図
掛軸・紙本墨画
136.7×33.6
Kakyo
Dragon in Clouds
Hanging scroll
ink on paper

A30805

1395　片山尚景
雲龍図
掛軸・絹本墨画
93.7×35.6
Katayama Shōkei
Dragon in Clouds
Hanging scroll
ink on silk

A30882

1396　勝川春和
芸者図
掛軸・絹本著色
86.4×34.5
Katsukawa Shunwa
Geisha
Hanging scroll
ink and color on silk

A30846

1397　葛飾戴斗 二代 ＊
布袋図
掛軸・紙本淡彩
93.2×31.0
Katsushika Taito II ＊
Hotei
Hanging scroll
ink and light color on paper

A30870

1398 葛飾戴斗 二代 *
母子図
掛軸・絹本著色
71.3×30.0
Katsushika Taito II *
Mother and Child
Hanging scroll
ink and color on silk

A30890

1399 葛飾北斎
獅子図
掛軸・紙本淡彩
嘉永元年・108.2×29.8
Katsushika Hokusai
Lion
Hanging scroll
ink and light color on paper・1848

A30912

1400 葛飾北斎 *
物売図
掛軸・紙本淡彩
天保十二年・56.8×28.3
Katsushika Hokusai *
Street Vendor
Hanging scroll
ink and color on paper・1841

A30917

1401 葛飾北斎 *
船上武者図
掛軸・絹本著色
28.8×20.8
Katsushika Hokusai *
Warrior Riding in a Boat
Hanging scroll
ink and color on silk

A30930

1402 葛飾北斎 *
鬼図
掛軸・絹本淡彩
52.2×15.2
Katsushika Hokusai *
Demon
Hanging scroll
ink and light color on silk

A30942

1403 葛飾北斎 *
鍾馗図
掛軸・絹本著色
71.9×41.7
Katsushika Hokusai *
Shōki
Hanging scroll
ink and light color on silk

A30701

246

1404 狩野伊川院
旭日寿老人図
掛軸・絹本著色
83.8×27.0
Kanō Isen'in
Jurōjin and Rising Sun
Hanging scroll
ink and color on silk

A30928

1405 狩野永岳
王義之図
掛軸・絹本著色
120.3×36.3
Kanō Eigaku
Wang Hsi-chih
Hanging scroll
ink and color on silk

A30823

1406 狩野景信 二代
南泉図
掛軸・紙本墨画
89.0×28.4
Kanō Kagenobu II
Nanzen Killing a Cat
Hanging scroll
ink on paper

A30885

1407 狩野晴川院
円窓雲龍図
掛軸・紙本墨画金泥
97.2×38.8
Kanō Seisen'in
Dragon and Clouds in a Circle
Hanging scroll
ink and gold on paper

A30773

1408 狩野探淵
弁財天図
掛軸・紙本墨画
93.2×29.1
Kanō Tan'en
Benzaiten
Hanging scroll
ink on paper

A30936

1409 鏑木梅渓
中国美人図
掛軸・絹本著色
95.6×35.2
Kaburagi Baikei
Chinese Beauty
Hanging scroll
color on silk

A30758

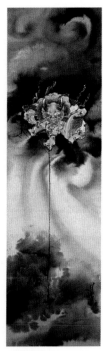

1410 鏑木梅渓
雪中鷹図
掛軸・絹本墨画淡彩
83.5×30.0
Kaburagi Baikei
Hawk in the Snow
Hanging scroll
ink and light color on silk

A30876

1411 河鍋暁斎
雷神図
掛軸・絹本著色
110.3×32.0
Kawanabe Kyōsai
Thunder God
Hanging scroll
ink and color on silk

A30859

1412 河鍋暁斎
獅子子落図
掛軸・紙本著色
108.8×40.0
Kawanabe Kyōsai
Lions in a Ravine
Hanging scroll
ink and color on paper

A30751

1413 河鍋暁斎
寿老人図
掛軸・紙本墨画
60.8×27.6
Kawanabe Kyōsai
Jurōjin
Hanging scroll
ink on paper

A30914

1414 河鍋暁斎
風神図
掛軸・絹本著色
110.3×32.0
Kawanabe Kyōsai
Wind God
Hanging scroll
ink and color on silk

A30878

1415 河鍋暁斎
鍾馗鬼退治図
掛軸・紙本著色
104.9×49.4
Kawanabe Kyōsai
Shōki Killing a Demon
Hanging scroll
ink and color on paper

A30654

1416　河鍋暁斎 ＊	1417　寛亭	1418　岸駒
菅傘に烏図	菊華水禽図	三酸図
掛軸・紙本墨画	掛軸・絹本著色	掛軸・絹本著色
125.7×29.8	109.2×41.3	89.5×32.3
Kawanabe Kyōsai ＊	**Kantei**	**Ganku**
Bird on a Sedge Hat	Waterbirds and Chrysanthemums	The Three Doctrines
Hanging scroll	Hanging scroll	Hanging scroll
ink and light color on paper	ink and color on silk	ink and color on silk

A30868

A30789

A30886

1419　岸駒	1420　岸駒	1421　岸慶
親子虎図	郭子儀図	虎図
掛軸・絹本墨画淡彩	掛軸・絹本著色	掛軸・絹本淡彩
112.5×70.6	87.7×32.5	98.4×34.1
Ganku	**Ganku**	**Gankei**
Tigress and Cub	Old Man with Children	Pair of Tigers
Hanging scroll	Hanging scroll	Hanging scroll
ink and light color on silk	ink and color on silk	ink and light color on silk

A30967

A30837

A30839

1422 岸駮
鷹図
掛軸・紙本淡彩
130.2×50.8
Gansan
Hawk
Hanging scroll
ink and light color on paper

A30641

1423 岸駮
罌粟図
掛軸・紙本淡彩
130.4×51.0
Gansan
Poppies (detail)
Hanging scroll
ink and color on paper

A30643

1424 岸駮
草木雀図
掛軸・紙本著色
130.3×50.8
Gansan
Sparrow and Plants
Hanging scroll
ink and color on paper

A30659

1425 岸駮
鳩に草花図
掛軸・紙本著色
130.3×50.7
Gansan
Pigeon
Hanging scroll
ink and color on paper

A30642

1426 岸駮
麦に雲雀図
掛軸・紙本著色
130.4×50.8
Gansan
Skylark and Barley
Hanging scroll
ink and color on paper

A30668

1427 岸駮
岸上水鳥図（部分）
掛軸・紙本著色
130.3×50.7
Gansan
Waterbird on a Cliff (detail)
Hanging scroll
ink and color on paper

A30661

1428 岸駛
秋草小禽図（部分）
掛軸・紙本著色
130.3×50.7
Gansan
Small Bird and Autumn Grasses
 (detail)
Hanging scroll
ink and color on paper
A30673

1429 岸岱
虎図
掛軸・紙本墨画
121.9×40.7
Gantai
Tiger
Hanging scroll
ink and light color on paper
A30649

1430 岸岱
虎図
掛軸・絹本墨画
113.7×56.4
Gantai
Tiger
Hanging scroll
ink on silk
A30719

1431 岸岱
岸上鷲図
掛軸・絹本墨画淡彩
99.7×41.3
Gantai
Hawk on a Rock
Hanging scroll
ink and color on silk
A30662

1432 岸岱
雪梅小禽図
掛軸・紙本淡彩
117.4×30.1
Gantai
Birds on a Snowy Plum Tree
Hanging scroll
ink and light color on paper
A30851

1433 岸岱・岸禮
福寿草・狆図
掛軸・絹本著色
86.1×25.1
Gantai and Ganrei
Small Dog and Amur Adonis Plant
Hanging scroll
ink and color on silk
A30921

1434 岸良
蹢躅小禽図
掛軸・絹本著色
104.3×37.3
Ganryō
Small Bird and Azalea
Hanging scroll
ink and color on silk

A30796

1435 岸良
雪中鴛鴦図
掛軸・絹本著色
99.2×35.1
Ganryō
Mandarin Ducks in the Snow
Hanging scroll
ink and color on silk

A30844

1436 岸禮
鷲図
掛軸・紙本墨画淡彩
136.0×63.0
Ganrei
Eagle
Hanging scroll
ink and light color on paper

A30980

1437 岸禮
鴨図（部分）
掛軸・紙本墨画
61.0×44.8
Ganrei
Two Ducks (detail)
Hanging scroll
ink and light color on paper

A30699

1438 岸連山
雨中虎図
掛軸・絹本淡彩
97.0×35.5
Kishi Renzan
Tiger in the Rain
Hanging scroll
ink and light color on silk

A30834

1439 岸連山
瀧鷹図
掛軸・絹本著色
85.0×35.4
Kishi Renzan
Hawk by a Waterfall
Hanging scroll
ink and color on silk

A30829

252

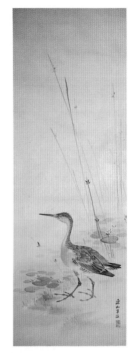

1440 岸連山
月下鹿図
掛軸・紙本墨画
81.0×29.0
Kishi Renzan
Deer Under the Moon
Hanging scroll
ink on paper

A30896

1441 岸連山
富士群鶴図
掛軸・紙本墨画淡彩
嘉永五年・121.8×58.6
Kishi Renzan
Mt. Fuji and a Flock of Cranes
Hanging scroll
ink and light color on paper・1852

A30665

1442 岸連山
睡蓮水鶏図
掛軸・紙本著色
99.3×35.2
Kishi Renzan
Water Rail and Lotuses
Hanging scroll
ink and color on paper

A30875

1443 岸連山
猪図（部分）
掛軸・絹本墨画淡彩
102.5×35.8
Kishi Renzan
Wild Boar (detail)
Hanging scroll
ink and light color on silk

A30906

1444 岸連山
調教図（部分）
掛軸・紙本墨画淡彩
93.2×27.9
Kishi Renzan
Breaking in a Horse (detail)
Hanging scroll
ink and light color on paper

A30904

1445 菊池容斎
円窓三羅漢図
掛軸・紙本淡彩
40.1×36.8
Kikuchi Yōsai
Three Arhats in a Circle
Hanging scroll
ink and light color on paper

A30767

1446 菊池容斎
恵比寿渡海図（部分）
掛軸・紙本著色
112.3×30.2
Kikuchi Yōsai
Ebisu Crossing the Sea (detail)
Hanging scroll
ink and color on paper

A30898

1447 其豊
富嶽登龍図
掛軸・紙本墨画
103.6×30.8
Kihō
Dragon Ascending Mt. Fuji
Hanging scroll
ink on paper

A30850

1448 玉岸
花魁図
掛軸・紙本著色
112.5×50.1
Gyokugan
Oiran
Hanging scroll
ink and color on paper

A30672

1449 敬信
雲龍図
掛軸・紙本墨画
91.4×26.9
Keishin
Dragon in Clouds
Hanging scroll
ink on paper

A30918

1450 古香斎
花魁図
掛軸・紙本淡彩
96.3×28.6
Kokōsai
Oiran
Hanging scroll
ink and light color on paper

A30848

1451 小波南洋
雲上寿老図
掛軸・紙本著色
130.0×48.2
Konami Nanyō
Jurōjin Riding on Clouds
Hanging scroll
ink and color on paper

A30674

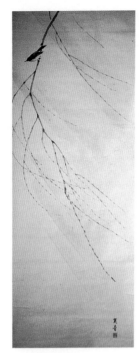

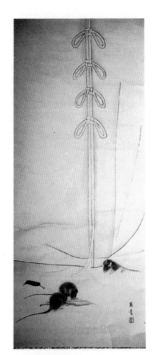

|1452 小波南洋
柳目白図
掛軸・紙本淡彩
129.8×48.1
Konami Nanyō
White-eye on a Willow Branch
Hanging scroll
ink and light color on paper

A30688

|1453 小波南洋
鯣鼠図
掛軸・紙本著色
98.0×41.2
Konami Nanyō
Mice and Dried Cuttlefish
Hanging scroll
ink and color on paper

A30693

|1454 小松原翠渓
五福祥集図
掛軸・絹本淡彩
享和元年・97.2×28.0
Komatsubara Suikei
Five Bats of Good Fortune
Hanging scroll
ink and light color on paper・1801

A30862

|1455 坂本浩雪
桜花図
掛軸・絹本著色
97.0×34.1
Sakamoto Kōsetsu
Cherry Blossoms
Hanging scroll
ink and color on silk

A30806

|1456 笹山養意 二代
旭日鳳凰図
掛軸・絹本著色
101.2×31.1
Sasayama Yōi II
Phoenix and Rising Sun
Hanging scroll
color on silk

A30830

|1457 三岳
子犬図
掛軸・絹本淡彩
75.3×30.7
Sangaku
Puppies
Hanging scroll
ink and light color on silk

A30860

1458　山樵
雪中鴛鴦図
掛軸・絹本著色
天保二年・93.0×30.6
Sanshō
Mandarin Ducks in the Snow
Hanging scroll
ink and color on silk・1831

A30874

1459　舜粋
海上双鶴図
掛軸・絹本著色
108.2×41.6
Shunsui
Cranes Flying Over the Sea
Hanging scroll
ink and color on silk

A30757

1460　至玉
中国婦人図
掛軸・絹本著色
100.9×35.2
Shigyoku
Chinese-style Woman
Hanging scroll
ink and color on silk

A30760

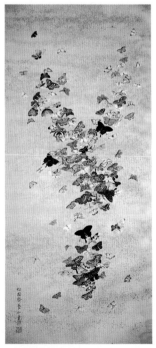

1461　清水曲河
花魁道行図
掛軸・紙本淡彩
79.8×27.8
Shimizu Kyokka
Oiran and Attendant
Hanging scroll
ink and light color on paper

A30880

1462　松園斎養和
群蝶図
掛軸双幅の内・絹本金砂子著色
116.2×51.3
Shōensai Yōwa
Butterflies
Hanging scroll
ink and color on silk

A30651

1463　松園斎養和
群蝶図
掛軸双幅の内・絹本金砂子著色
116.5×51.4
Shōensai Yōwa
Butterflies
Hanging scroll
ink and color on silk

A30690

1464 霄春義従
雲龍図
掛軸・紙本墨画（金泥引）
130.8×51.4
Shōshun Gijū
Dragon in Clouds
Hanging scroll
ink and gold paint on paper

A30722

1465 榛斎
雪に二美人図（部分）
掛軸・絹本著色
78.9×31.5
Shinsai
Two Beauties in the Snow (detail)
Hanging scroll
ink and color on silk

A30842

1466 静閑斎養真
鉄枴仙人図
掛軸・絹本墨画
105.1×42.5
Seikansai Yōshin
Tekkai
Hanging scroll
ink and light color on silk

A30689

1467 雪斎
花卉図
掛軸・紙本著色
46.3×50.2
Sessai
Flowers and Plants
Hanging scroll
ink and color on paper

A30679

1468 仙舟
双鶴図
掛軸・紙本墨画淡彩
97.5×35.4
Senshū
Pair of Cranes
Hanging scroll
ink and light color on paper

A30754

1469 宋紫岡
旭日松枝図
掛軸・絹本著色
99.2×34.5
Sō Shikō
Pine and Morning Sun
Hanging scroll
ink and light color on silk

A30809

1470　武沢楊岸
雪中鷹図
掛軸双幅の内・紙本墨画
130.7×62.0
Takezawa Yōgan
Eagle in the Snow
Hanging scroll
ink on paper

A30973

1471　武沢楊岸
雪中鷹図
掛軸双幅の内・紙本墨画
130.7×61.9
Takezawa Yōgan
Hawk in the Snow
Hanging scroll
ink on paper

A30981

1472　武沢楊岸
鯉と亀図
掛軸・絹本墨画
103.3×39.5
Takezawa Yōgan
Carp and Tortoise
Hanging scroll
ink on silk

A30670

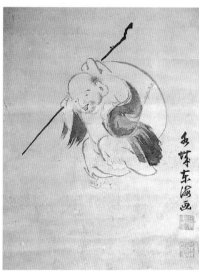

1473　田中日華
蛤夢図
掛軸・紙本淡彩
108.0×27.3
Tanaka Nikka
Dream of a Clam
Hanging scroll
ink and light color on paper

A30915

1474　蹄斎北馬 二代
文書く花魁図
掛軸・絹本著色
86.1×33.7
Teisai Hokuba II
Oiran Writing a Letter
Hanging scroll
ink and color on silk

A30891

1475　東海禅師
布袋図
掛軸・紙本墨画淡彩
88.9×29.3
Tōkai
Hotei
Hanging scroll
ink and light color on paper

A30888

1476 宕崕
花鳥図
掛軸・絹本著色
87.0×29.9
Togai
Birds and Blossoming Plum
Hanging scroll
ink and color on silk

A30873

1477 遠坂文岱
漁夫図
掛軸・絹本淡彩
99.3×29.5
Tōsaka Buntai
Fisherman
Hanging scroll
ink and light color on silk

A30907

1478 等舟
羽突図
掛軸・絹本著色
97.2×35.6
Tōshū
Woman with a Battledore
Hanging scroll
ink and color on silk

A30828

1479 魚屋北渓
鯉魚日輪図
掛軸双幅の内・紙本著色
天保八年・80.3×38.6
Totoya Hokkei
Carp and Sun
Hanging scroll
ink and color on paper・1837

A30761

1480 魚屋北渓
鯉魚瀧登図
掛軸双幅の内・紙本著色
天保八年・108.9×39.2
Totoya Hokkei
Carp Ascending a Waterfall
Hanging scroll
ink and color on paper・1837

A30766

1481 中島醴泉
瀧紅葉図
掛軸・紙本著色
132.3×59.3
Nakajima Reisen
Waterfall in Autumn
Hanging scroll
ink and color on paper

A30727

1482 長沢蘆雪 *
鯉小魚図
掛軸・絹本著色
102.4×40.2
Nagasawa Rosetsu *
Carp and Small Fish
Hanging scroll
ink and color on silk

A30656

1483 南渓江琳
梅華叭哥鳥図
掛軸・絹本著色
96.6×36.4
Nanmei Kōrin
Magpies on a Blossoming Plum Tree
Hanging scroll
ink and color on silk

A30802

1484 二正
富嶽登龍図
掛軸・絹本墨画
85.4×29.2
Nisei
Dragon Ascending Mt. Fuji
Hanging scroll
ink on silk

A30866

1485 林之玄
雪中茅屋図
掛軸・絹本墨画淡彩
86.8×39.0
Hayashi Shigen
Hut in a Winter Landscape
Hanging scroll
ink and light color on silk

A30774

1486 林松林
雪中叭哥鳥図
掛軸・紙本著色
天明五年・89.9×29.0
Hayashi Shōrin
Magpies in the Snow
Hanging scroll
ink and light color on paper・1785

A30892

1487 早瀬常禎
鯉瀧登図
掛軸・絹本墨画淡彩
130.9×40.8
Hayase Jōtei
Carp Ascending a Waterfall
Hanging scroll
ink and light color on silk

A30782

260

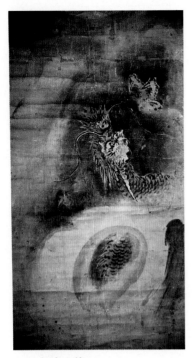

1488 広渡心海
雲龍図
掛軸・紙本墨画
98.2×52.1
Hirowatari Shinkai
Dragon in Clouds
Hanging scroll
ink on paper

A30694

1489 文逸
竹林賢人図
掛軸・絹本著色
90.6×28.0
Bun'itsu
Chinese Sage in a Bamboo Grove
Hanging scroll
ink and color on silk

A30861

1490 文玉
松鷹図
掛軸・絹本墨画
106.1×42.3
Bungyoku
Hawk in a Pine Tree
Hanging scroll
ink on silk

A30790

1491 文炳
松鶴図（部分）
掛軸・紙本淡彩
65.3×38.4
Bunpei
Cranes and Pine Tree (detail)
Hanging scroll
ink and light color on paper

A30784

1492 北渓雪政 ＊
柴刈女図
掛軸・絹本著色
74.2×28.5
Hokkei Yukimasa ＊
Woman Carrying Firewood
Hanging scroll
ink and color on silk

A30911

1493 北豊
髑髏夢想図
掛軸・紙本著色
83.8×36.4
Hokuhō
A Skull's Dream
Hanging scroll
ink and color on paper

A30747

1494 松村景文
鶴図 (部分)
掛軸・紙本墨画
112.2×28.4
Matsumura Keibun
Crane
Hanging scroll
ink on paper

A30920

1495 松村景文
立葵雀図
掛軸・絹本著色
100.0×35.8
Matsumura Keibun
Sparrow and Hollyhock
Hanging scroll
ink and color on silk

A30819

1496 松村景文 ＊
高士酒宴図
掛軸・紙本淡彩
121.8×53.6
Matsumura Keibun ＊
Scholars' Banquet
Hanging scroll
ink and light color on paper

A30721

1497 円山応挙
雪渓隠遁図
掛軸・絹本淡彩
安永八年・97.1×36.5
Maruyama Ōkyo
Secluded in a Snowy Valley
Hanging scroll
ink and light color on silk・1779

A30797

1498 円山応挙 ＊
恵比寿図
掛軸・紙本著色
68.1×38.7
Maruyama Ōkyo ＊
Ebisu
Hanging scroll
ink and color on paper

A30750

1499 円山応震
鍾馗文使図
掛軸・絹本著色
120.4×54.3
Maruyama Ōshin
Shōki Sending a Love Letter
Hanging scroll
ink and color on silk

A30736

1500 宮原義直
雨中雀図
掛軸・紙本淡彩
119.5×29.8
Miyahara Yoshinao
Sparrows in the Rain
Hanging scroll
ink and light color on paper

A30924

1501 宮原義直
短冊貼交
掛軸・絹本淡彩
各36.0×各6.2
Miyahara Yoshinao
Two Tanzaku
Hanging scroll
ink and light color on silk

A30950

1502 目賀田介庵
遊女図
掛軸・絹本著色
128.3×36.2
Megata Kaian
Courtesan
Hanging scroll
ink and color on silk

A30776

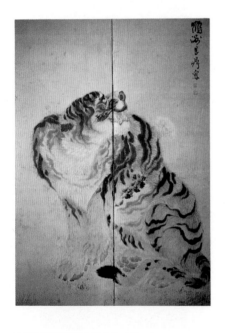

1503 杜鶴洲
虎図
二曲屏風一隻・紙本墨画淡彩
128.8×92.4
Mori Kakushū
Tiger
Two-panel screen
ink and light color on paper

A30437

1504 森秋圃
雪中鹿図
掛軸・絹本著色
92.6×35.8
Mori Shūho
Deer in the Snow
Hanging scroll
ink and light color on silk

A30743

1505 森祖仙＊
親子猿図
掛軸・絹本淡彩
101.0×37.4
Mori Sosen ＊
Monkeys
Hanging scroll
ink and light color on silk

A30800

1506 森祖仙＊
瀧猿猴図
掛軸・絹本著色
108.3×40.7
Mori Sosen ＊
Monkeys by a Waterfall
Hanging scroll
ink and color on silk

A30759

1507 森祖仙＊
親子猿図（部分）
掛軸・絹本著色
110.2×42.1
Mori Sosen ＊
Monkeys (detail)
Hanging scroll
ink and light color on silk

A30794

1508 森徹山
蝙蝠鹿図
掛軸・絹本墨画
91.3×27.7
Mori Tetsuzan
Deer and Bat
Hanging scroll
ink on silk

A30895

1509 森徹山
富士見西行図
掛軸・絹本淡彩
95.7×35.9
Mori Tetsuzan
Saigyō and Mt. Fuji
Hanging scroll
ink and light color on silk

A30764

1510 山崎彩峨
鍾馗図
掛軸・紙本著色
明治十七年・106.6×54.7
Yamazaki Saiga
Shōki
Hanging scroll
ink and color on paper・1884

A30733

1511 山本梅逸＊
白鷺図
掛軸・絹本著色
天保七年・103.8×37.4
Yamamoto Baiitsu ＊
White Herons
Hanging scroll
ink and color on silk・1836

A30647

264

1512 熊斐
梅花叭哥鳥図
掛軸・紙本墨画
128.5×45.0
Yūhi
Magpies on a Plum Tree
Hanging scroll
ink on paper

A30708

1513 吉原真龍
美人観桜図
掛軸・絹本著色
69.5×40.0
Yoshihara Shinryū
Beauty Viewing Cherry Blossoms
Hanging scroll
ink and color on silk

A30741

1514 吉村孝文
雪山鹿図
掛軸・絹本淡彩
98.9×36.4
Yoshimura Kōbun
Deer in the Snowy Mountains
Hanging scroll
ink and light color on silk

A30788

1515 立興
菊華鶉図
掛軸・絹本著色
100.4×33.9
Rikkō
Quails and Chrysanthemums
Hanging scroll
ink and colors on silk

A30816

1516 渡辺鶴洲
雲龍図
掛軸・絹本墨画
103.4×36.2
Watanabe Kakushū
Dragon in Clouds
Hanging scroll
ink on silk

A30841

1517 渡辺玄対
水鳥図
掛軸・紙本墨画淡彩
103.6×36.2
Watanabe Gentai
Waterbirds
Hanging scroll
ink and light color on paper

A30681

1518　渡辺秀朴
白鷹図
掛軸・紙本著色
92.0×33.2
Watanabe Shūboku
White Hawk
Hanging scroll
ink and color on paper

A30832

1519　不詳
蟹図
掛軸・紙本墨画淡彩
57.7×26.8
Unidentified
Crab
Hanging scroll
ink and light color on paper

A30840

1520　不詳
嵐山雪景図
掛軸・絹本著色
96.9×35.2
Unidentified
Arashiyama Winter Scene
Hanging scroll
ink and color on silk

A30778

1521　不詳
秋草図
掛軸・紙本著色
102.5×41.5
Unidentified
Butterflies and Autumn Grasses
Hanging scroll
ink and color on paper

A30703

1522　不詳
柳下美人図
掛軸・紙本著色
109.3×29.3
Unidentified
Beauty by a Willow Tree
Hanging scroll
ink and color on paper

A30871

1523　不詳
鷹狩鷹図
掛軸・絹本著色
75.3×30.2
Unidentified
Hawk
Hanging scroll
ink and color on silk

A30881

266

1524 不詳
獅子図
掛軸・紙本著色
57.0×20.1
Unidentified
Lion
Hanging scroll
ink and color on paper

A30951

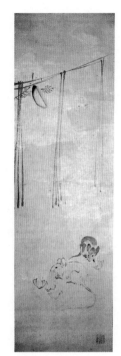

1525 不詳
鼠図
掛軸・紙本墨画
95.4×29.7
Unidentified
Mice
Hanging scroll
ink on paper

A30889

1526 不詳
寿老人図
掛軸・紙本著色
107.6×46.3
Unidentified
Jurōjin
Hanging scroll
ink and color on paper

A30706

1527 不詳
布袋唐子図
掛軸・絹本墨画
76.7×38.2
Unidentified
Hotei and Children
Hanging scroll
ink and light color on silk

A30783

1528 無款
寿老人図
掛軸・紙本淡彩
109.6×46.3
Anonymous
Jurōjin
Hanging scroll
ink and light color on paper

A30707

1529 無款
羽子板美人図
掛軸・絹本著色
85.3×31.8
Anonymous
Beauty with Battledore
Hanging scroll
ink and color on silk

A30872

1530 無款
芸者図・掛軸
紙本著色
79.2×25.9
Anonymous
Geisha
Hanging scroll
ink and color on paper

A30925

1531 無款
雷神図
掛軸五幅の内・絹本著色
114.1×34.6
Anonymous
Thunder God
Hanging scroll
ink and color on silk

A30745

1532 無款
風神図
掛軸五幅の内・絹本著色
112.9×43.6
Anonymous
Wind God
Hanging scroll
ink and color on silk

A30792

1533 無款
雪神図
掛軸五幅対の内・絹本著色
114.4×43.7
Anonymous
Snow God
Hanging scroll
ink and color on silk

A30793

1534 無款
雨神図
掛軸五幅対の内・絹本著色
114.4×43.7
Anonymous
Rain God
Hanging scroll
ink and color on silk

A30795

1535 無款
虹神図
掛軸五幅対の内・絹本著色
114.4×43.9
Anonymous
Rainbow God
Hanging scroll
ink and color on silk

A30803

268

1536 **無款**
水月鯉図
掛軸・紙本墨画淡彩
101.4×45.7
Anonymous
Carp
Hanging scroll
ink and light color on paper

A30709

1537 **無款**
お多福鬼図
掛軸・紙本著色
134.1×52.6
Anonymous
Otafuku and a Demon
Hanging scroll
ink and color on paper

A30711

1538 **無款**
節分会図
掛軸・絹本著色
85.4×36.8
Anonymous
Setsubun
Hanging scroll
ink and color on silk

A30838

1539 **無款**
紅葉図
六曲屏風一隻・金銀地著色
157.1×339.0
Anonymous
Maple Trees
Six-panel screen
ink and color on gold and silver

A30438

1540 飯島光峨　　　**Iijima Kōga**
蛙酒盛図　　　Frogs Having a Drinking Bout
掛軸・紙本淡彩　Hanging scroll
28.2×64.7　　ink and light color on paper
　　　　　　　　　　　　A30965

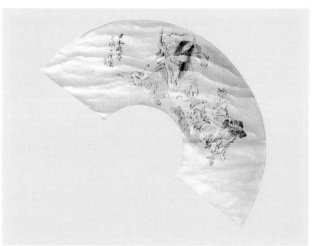

1541 一渓　　　**Ikkei**
日本武尊図　Yamato Takeru
扇面・紙本著色　Fan
27.3×55.3　ink and color on paper
　　　　　　　　　　A30738

1542 一視　　　**Isshi**
雨中虎図　　　Tiger in the Rain
掛軸・絹本墨画淡彩　Hanging scroll
46.5×57.6　ink and light color on silk
　　　　　　　　　　　A30739

1543 歌川国貞 初代　　**Utagawa Kunisada I**
うかれ女図　　Courtesan
掛軸・絹本著色　Hanging scroll
30.9×40.9　ink and color on silk
　　　　　　　　　　A30820

1544 歌川広重 初代　　**Utagawa Hiroshige I**
茶筌売図　　　Tea Whisk Vendors
掛軸・絹本著色　Hanging scroll
42.7×56.8　ink and color on silk
　　　　　　　　　　A30660

270

1545　栄女寛好　　**Ei-jo Kankō**
月下梅竹図　　Bamboo and Plum in the Moonlight
掛軸・紙本墨画　Hanging scroll
38.4×54.5　　ink on paper
　　　　　　　A30728

1546　岡田鶴川　　**Okada Kakusen**
富士図　　Mt. Fuji
掛軸・絹本墨画（金泥引）Hanging scroll
41.5×62.7　　ink and gold paint on silk
　　　　　　　A30976

1547　岡田半江　　**Okada Hankō**
寒林曳杖図　　Retiring to the Wintry Forest
掛軸・紙本淡彩　Hanging scroll
17.3×22.3　　ink and light color on paper
　　　　　　　A34074

1548　片山尚景　　**Katayama Shōkei**
松鷹図　　Hawk and Pine Tree
掛軸・絹本墨画　Hanging scroll
40.7×54.5　　ink on paper
　　　　　　　A30730

1549　勝含英　　**Katsu Gan'ei**
鷹図　　Hawk
掛軸・紙本墨画　Hanging scroll
41.7×56.8　　ink on paper
　　　　　　　A30734

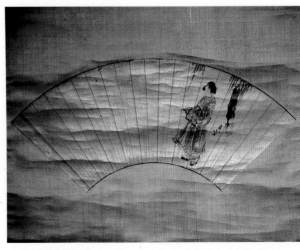

1550　葛飾北斎　　**Katsushika Hokusai**
柳下花魁図　　Oiran by a Willow Tree
掛軸・紙本著色　Folding fan mounted on a scroll
23.3×48.0　　ink and color on paper
　　　　　　　A30712

271

1551 葛飾北斎 ＊
富嶽三十六景の内・尾州不二見原
掛軸・絹本著色
28.5×42.8

Katsushika Hokusai ＊
After Fujimihara, Bishū from
　Thirty-six Views of Mt. Fuji
Hanging scroll
ink and color on silk　A30704

1552 葛飾北斎 ＊
富嶽三十六景の内・甲州石班沢
掛軸・絹本著色
28.5×42.8

Katsushika Hokusai ＊
After Kajikazawa, Kōshū from
Thirty-six Views of Mt. Fuji
Hanging scroll
ink and color on silk　A30675

1553 葛飾北斎 ＊
鼠大黒図
掛軸・絹本著色
天保十二年
36.4×38.3

Katsushika Hokusai ＊
Daikoku Riding on a Rat
Hanging scroll
ink and color on silk・1841
　A30785

1554 狩野栄川院 初代
鶴図
掛軸・絹本著色
39.3×72.2

Kanō Eisen'in I
Crane
Hanging scroll
ink and color on silk
　A30979

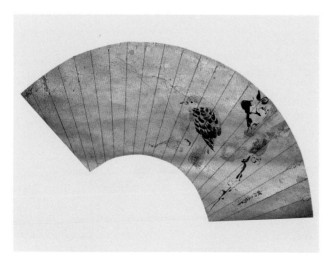
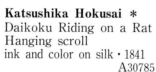

1555 狩野探信
梅花雀図
扇面・紙本墨画（雲母引）
21.3×43.7

Kanō Tanshin
Sparrow on a Plum Branch
Folding fan
ink on paper with mica
　A30731

1556 岸俊
南瓜花図（部分）
掛軸・紙本淡彩
130.3×50.7

Gansan
Pumpkin Flower (detail)
Hanging scroll
ink and color on paper
　A30644

1557　河鍋暁斎＊
夕日に烏図
掛軸・紙本墨画淡彩
30.7×84.8

Kawanabe Kyōsai ＊
Crow and Setting Sun
Hanging scroll
ink and light color on paper
A30958

1558　岸岱
岸辺鴨図
掛軸・絹本淡彩
41.2×56.7

Gantai
Ducks by the Shore
Hanging scroll
ink and color on silk
A30735

1559　岸岱
枯芦鴨図
掛軸・紙本墨画
28.8×44.2

Gantai
Duck and Reeds
Hanging scroll
ink on paper
A30812

1560　岸文進
粉本（部分）
巻子・紙本墨画淡彩
縦30.0

Kishi Bunshin
Scroll of Sketches (details)
Handscroll
ink and light color on paper
A30938

1560

1560

1560

1561 木村玉英　**Kimura Gyokuei**
菊華小禽図　Small Bird and Chrysanthemums
掛軸・紙本著色　Hanging scroll
29.3×38.2　ink and color on paper
A30775

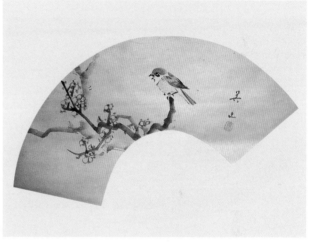

1562 呉山　**Gozan**
梅花雀図　Sparrow on a Plum Branch
扇面・紙本墨画　Folding fan
23.2×45.2　ink and light color on paper
A30731

1563 呉山　**Gozan**
蝙蝠図　Bat
扇面・紙本墨画　Fan
18.6×42.7　ink on paper
A30696

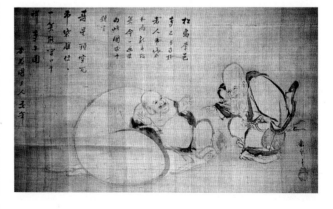

1564 佐野龍雲　**Sano Ryūun**
布袋寿老人図　Hotei and Jurōjin
掛軸・絹本墨画　Hanging scroll
31.3×53.0　ink on silk
A30685

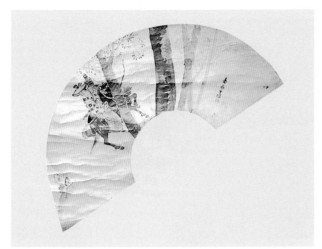

1565 春水　　　　　　　**Shunsui**
桜下騎士図　　　　Warrior by a Cherry Tree
扇面・紙本著色　　Fan
26.8×53.8　　　　ink and color on paper
　　　　　　　　　　　　　　　　A30738

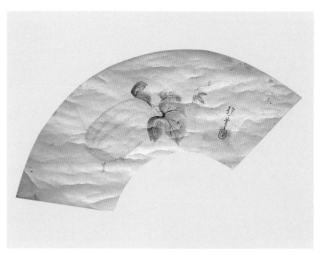

1566 酒井抱一＊　　　**Sakai Hōitsu ＊**
瓜図　　　　　　　Melon
扇面・紙本淡彩　　Fan
25.0×53.7　　　　light color on paper
　　　　　　　　　　　　　　　　A30731

1567 紫岡宋琳　　　　**Shikō Sōrin**
鶴鷲図　　　　　　Crane and Eagle
掛軸・絹本墨画淡彩　Hanging scroll
50.6×74.5　　　　ink and light color on silk
　　　　　　　　　　　　　　　　A30969

1568 東皐斎　　　　　**Tōkōsai**
花魁図　　　　　　Oiran and Attendant
掛軸・絹本著色　　Hanging scroll
26.8×42.6　　　　ink and color on silk
　　　　　　　　　　　　　　　　A30702

1569 魚屋北渓　　　　**Totoya Hokkei**
山賊強姦図　　　　Rape by Mountain Bandits
掛軸・絹本著色　　Hanging scroll
47.0×72.9　　　　ink and color on silk
　　　　　　　　　　　　　　　　A30968

1570 魚屋北渓　　　　**Totoya Hokkei**
亀図　　　　　　　Tortoise
掛軸・絹本著色　　Hanging scroll
33.5×40.2　　　　ink and light color on silk
　　　　　　　　　　　　　　　　A30742

1571 魚屋北渓＊
鶏図
掛軸・紙本著色
33.3×52.5

Totoya Hokkei ＊
Chickens
Hanging scroll
ink and color on paper
A30692

1572 英一蝶
獅子舞図
掛軸・紙本著色
30.4×41.4

Hanabusa Itchō
Lion Dance
Hanging scroll
ink and light color on paper
A30769

1573 英一蝶
鍾馗鬼図
掛軸・絹本墨画淡彩
34.1×39.1

Hanabusa Itchō
Shōki and Demons
Hanging scroll
ink and light color on silk
A30826

1574 平福穂庵
桃太郎図
掛軸・絹本著色
30.8×34.7

Hirafuku Suian
Momotarō
Hanging scroll
ink and colors on silk
A30827

1575 文僊
柳下美人図
掛軸・絹本著色
43.5×56.9

Bunsen
Beauty by a Willow Tree
Hanging scroll
ink and color on silk
A30729

1576 円山応挙
秋琴美人図
掛軸・絹本著色
安永九年
37.6×52.3

Maruyama Ōkyo
Beauty with a Koto in Autumn
Hanging scroll
ink and color on silk・1780
A30646

276

1577 北鵞 ＊
狂巫女退治図
掛軸・紙本著色
47.7×108.4

Hokuga ＊
Mad Shrine Maiden
Hanging scroll
ink and color on paper
A30956

1578 森秋圃
三日月鹿図
掛軸・絹本墨画淡彩
27.9×48.4

Mori Shūho
Deer Looking at the Moon
Hanging scroll
ink and light color on silk
A30657

1579 （渡辺秀石）
野兎図
掛軸・絹本著色
37.5×48.8

［**Watanabe Shūseki**］
Wild Rabbits
Hanging scroll
ink and color on silk
A30715

1580 無款
鷹図
掛軸・紙本著色
30.8×43.2

Anonymous
Hawk
Hanging scroll
ink and color on paper
A30664

1581 無款
梅花叭哥鳥図
扇面・紙本墨画
20.8×44.5

Anonymous
Magpie on a Plum Branch
Fan
ink on paper
A30738

JAPANESE ART ABROAD RESEARCH PROJECT
List of Participants

INTERNATIONAL RESEARCH CENTER FOR JAPANESE STUDIES

Consultants:

Haga Toru, Professor
Shirahata Yōzaburō, Associate Professor
Kashioka Tomihide, Associate Professor
Ono Yoshihiko, Associate Professor

Research and Editorial Staff:

Betchaku Yasuko, Professor in Residence
Hayakawa Monta, Associate Professor
Patricia Fister, Research Associate
Nakahara Atsuko, Project Assistant (photography)

OUTSIDE RESEARCH SPECIALISTS

Beata Voronova, Curator of Japanese Prints   (prints)
Pushkin State Museum of Fine Arts

Satō Mitsunobu, Director   (prints)
Hiraki Ukiyo-e Art Museum

Asano Shūgō, Curator   (prints)
Art Museum Preparatory Department,
Chiba City Board of Education

「海外日本美術情報」プロジェクト調査関係者

国際日本文化研究センター

顧　問

芳賀　徹　教授
白幡洋三郎　助教授
柏岡富英　助教授
小野芳彦　助教授

調査参加者

別役恭子　寄附研究部門教授　　　　　　　（統括及び翻訳、編集）
早川聞多　助教授　　　　　　　　　　　　（編集及びデータ入力）
パトリシア・フィスター　寄附研究部門教員　　　（編集及びデータ入力）
中原敦子　教務補佐員　　　　　　　　　　　　　　（撮影）

外部調査参加者

ベアタ・ヴォロノヴァ　プーシキン国立美術館日本部キューレイター　　　（版画）

佐藤光信　平木浮世絵美術館館長　　　　　　　　　（版画）

浅野秀剛　千葉市教育委員会美術館開設準備室学芸員　　　（版画）

1582 　無款
　　 七福神図・掛軸
　　 紙本著色
　　 35.0×52.0

Anonymous
Seven Gods of Good Fortune
Hanging scroll
ink and color on paper
A30677

1583 　無款
　　 アレクセイ・アレクサンドロ
　　 ヴィチ侯爵訪日図
　　 掛軸・絹本著色
　　 50.8×66.5

Anonymous
The Russian Prince Alexsei
　Alexsandrovich at a Banquet
Hanging scroll
ink and color on silk　　A30726

1585 無款
　　　お多福百態図
　　　巻子・紙本著色
　　　29.1×977.7

Anonymous
One Hundred Forms of Otafuku
Handscroll
ink and color on paper
　　　　　　　A30940

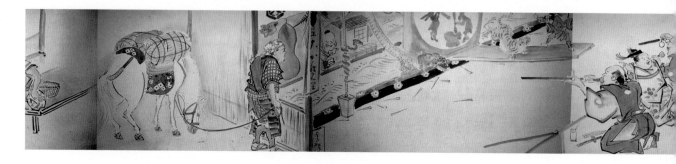

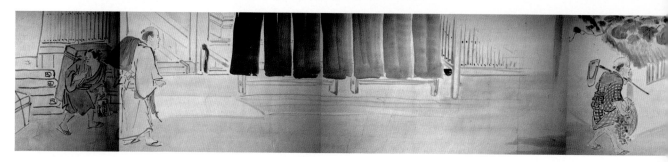

1584 江村春甫 **Emura Shunpo**
京風物図 Kyoto Genre Scenes
巻子・紙本著色 Handscroll
28.0×1260.0 ink and color on paper
A30943

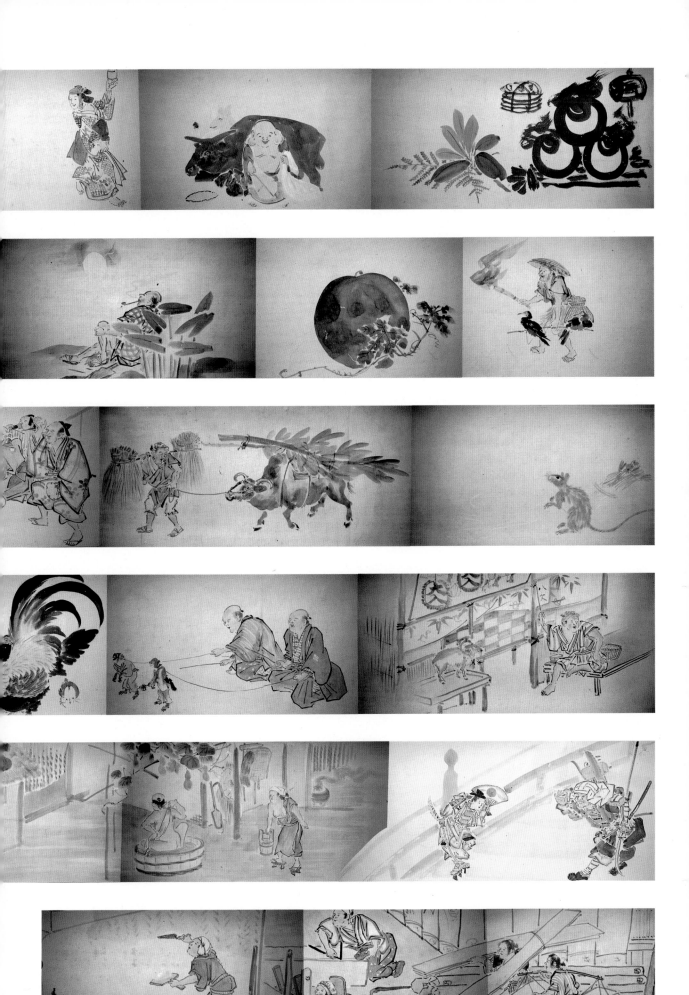

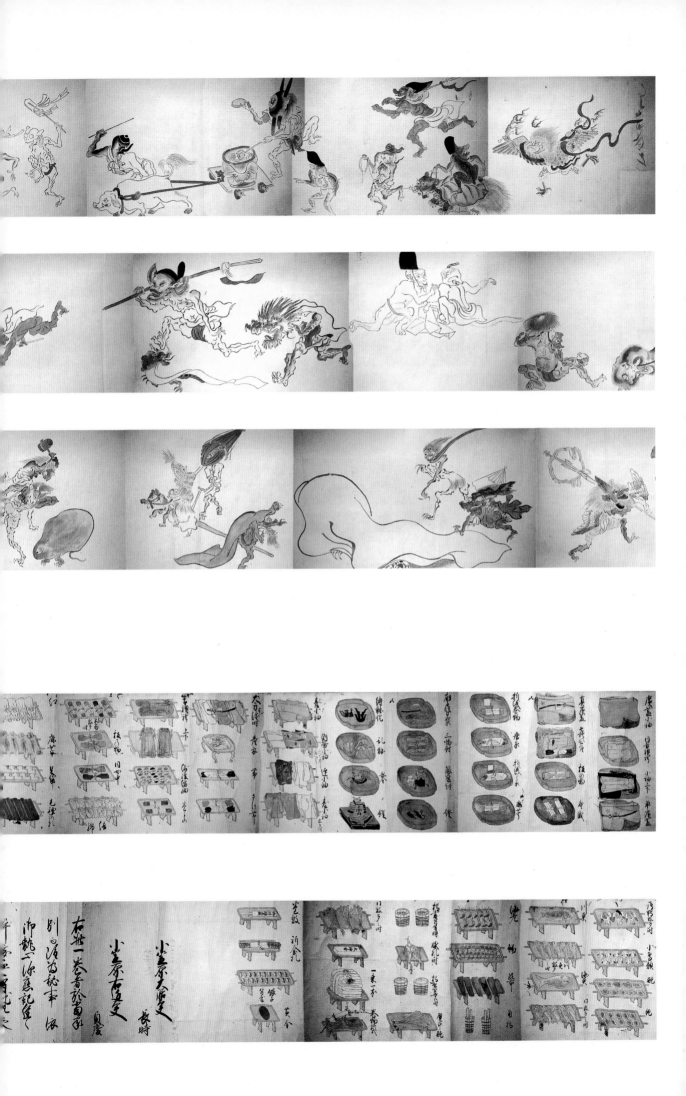

1586 **無款**
百鬼夜行図
巻子・紙本著色
27.1×737.7

Anonymous
Copy of Night Parade of
One Hundred Demons
Handscroll
ink and color on paper
A30944

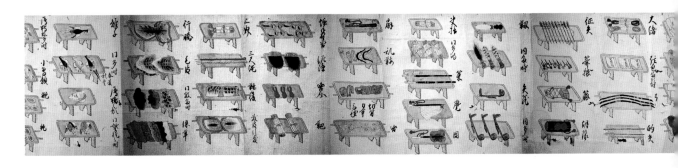

1587 **無款**
小笠原家秘事図
巻子・紙本著色
28.9×463.8

Anonymous
Pictures Documenting Secret
Ogasawara Family Customs
Handscroll
ink and color on paper
A30946

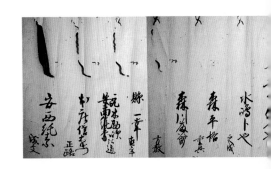

作者索引
版　画

絵　　画

288

岸狻 *	1422〜1428,1556
岸岱（天明2年〜慶応元年）	1429〜1433,1558,1559
岸良（寛政5年〜嘉永5年）	1434,1435
岸禮（文化13年〜明治16年）	1433,1436,1437
菊池容斎（天明8年〜明治11年）	1445,1446
岸文進	1560
岸連山（文化2年〜安政6年）	1438〜1444
其豊 *	1447
木村玉英（文化期活躍）	1561
玉岸 *	1448
敬信 *	1449
古香斎 *	1450
呉山 *	1562,1563
小波南洋	1451〜1453
小松原翠渓（安永9年〜天保4年）	1454

（さ）

酒井抱一（宝暦11年〜文政5年）	1566
坂本浩雪（寛政12年〜嘉永6年）	1455
笹山養意 二代（安永9年歿）	1456
佐野龍雲	1564
三岳 *	1457
山樵 *	1458
至玉 *	1460
紫岡宋琳 *	1567
清水曲河 *	1461
舜粋 *	1459
春水 *	1565
松園斎養和 *	1462,1463
霄春義従 *	1464
榛斎 *	1465
静閑斎養真 *	1466
雪斎 *	1467
仙舟 *	1468
宋紫岡（天明元年〜嘉永3年）	1469

（た）

武沢楊岸（安政期活躍）	1470〜1472
田中日華（弘化2年歿）	1473
蹄斎北馬 二代（弘化〜嘉永期活躍）	1474
東海禅師（享保11年〜享和2年）	1475
宕崕 *	1476
東皐斎 *	1568
遠坂文岱（慶応3年歿）	1477
等舟 *	1478
魚屋北渓（安永9年〜嘉永3年）	1479,1480,1569〜1571

（な）

長沢蘆雪 *（宝暦4年〜寛政11年）	1482
中島醴泉	1481
南溟江琳 *	1483
二正 *	1484

（は）

英一蝶（承応元年〜享保9年）	1572,1573
林之玄 *	1485
林松林（寛政4年歿）	1486
早瀬常禎	1487
平福穂庵（弘化元年〜明治23年）	1574
広渡心海	1488
文逸 *	1489
文玉 *	1490
文偃 *	1575
文炳 *	1491
北鷟 *（文化頃〜万延元年）	1577
北豊 *	1493
北渓雪政	1492

（ま）

松村景文（安永8年〜天保14年）	1494〜1496
円山応挙（享保18年〜寛政7年）	1497,1498,1576
円山応震	1499
宮原義直（文化6年〜明治14年）	1500,1501
目賀田介庵（文化10年〜明治13年）	1502
杜鶴洲（天保期活躍）	1503
森秋圃（元文3年〜文政6年）	1504,1578
森祖仙（延宝4年〜文政4年）	1505〜1507
森徹山（安永4年〜天保12年）	1508,1509

（や）

山崎彩峨	1510
山本梅逸（天明3年〜安政3年）	1511
熊斐（？〜安永元年）	1512
吉原真龍（文化元年〜安政3年）	1513
吉村孝文（寛政5年〜文久3年）	1514

（ら）

立興 *	1515

（わ）

渡辺鶴洲（安永7年〜天保元年）	1516
渡辺玄対（寛延2年〜文政5年）	1517
（渡辺秀石）（寛永16年〜宝永4年）	1579
渡辺秀朴（寛文2年〜宝暦6年）	1518

Index of Artists

Prints

Paintings

編　集：国際日本文化研究センター
　　　　海外日本美術調査プロジェクト
発行日：1993年1月25日
発行所：国際日本文化研究センター
　　　　京都市西京区御陵大枝山町3-2
　　　　電話 075-335-2100　　Fax. 075-335-2090
印　刷：株式会社西日本製版センター

Edited by the Japanese Art Abroad Research Project and published by
　The International Research Center for Japanese Studies.
　3-2 Goryo-Oeyama-cho, Nishikyo-ku, Kyoto 610-11, Japan
　Tel. 075-335-2100　Fax. 075-335-2090
Catalogue text © 1993 by The International Research Center for Japanese
　Studies. Photographs © 1993 by The Pushkin State Museum of Fine Arts.
　All rights reserved.
　12 Volhonka Street 121019, Moscow, Russia
　Tel. 095-203-3007　Fax. 095-203-4674

gift
06/25/2010 kt

gift
06/25/2010 kt